Renato Cardoso e Cristiane Cardoso

120 minutos para blindar seu casamento

Os melhores conselhos do programa *Minuto do casamento*

Rio de Janeiro . 2013

Publisher :: Omar de Souza
Editor responsável :: Samuel Coto
Produção :: Adriana Torres e Thalita Ramalho
Produção editorial :: Pedro Staite
Edição de conteúdo :: Cristina Ignácio Fernandes
Capa :: Rafael Brum, Unipro
Revisão :: Luana Luz e Rachel Rimas
Diagramação e projeto gráfico :: Marília Bruno

CIP-BRASIL. CATALOGAÇÃO NA PUBLICAÇÃO
SINDICATO NACIONAL DOS EDITORES DE LIVROS, RJ

C266c

Cardoso, Renato, 1972-
120 minutos para blindar seu casamento / Renato Cardoso, Cristiane Cardoso. - 1. ed. - Rio de Janeiro : Thomas Nelson, 2013.
256 p. ; 23 cm.

ISBN 9788578605025

1. Casamento - Aspectos religiosos - Cristianismo. 2. Vida cristã. I. Cardoso, Cristiane. II. Título. III. Título: Cento e vinte minutos para blindar seu casamento.

CDD: 248.4
CDU: 27-584

Thomas Nelson Brasil é uma marca licenciada à Vida Melhor Editora S.A.

Rua Nova Jerusalém, 345 – Bonsucesso
Rio de Janeiro – RJ – CEP 21402-325
Tel.: (21) 3882-8200 – Fax: (21) 3882-8212 / 3882-8313
www.thomasnelson.com.br

Sumário

Prefácio 6
Introdução 10

1. "Nosso casamento está bom" 14
2. Cinco regras para boas brigas 16
3. Amizades nocivas 18
4. Boa aparência 20
5. Dependência e independência com equilíbrio 22
6. Sempre há mais uma opção 24
7. O seu primeiro relacionamento 26
8. O quê, como e quando 28
9. O sucesso não é automático 30
10. Para-raios 32
11. Sujeira embaixo do tapete 34
12. Fontes do ciúme 36
13. Os melhores amigos 38
14. Concordar em discordar 40
15. Consertar ou jogar fora? 42
16. De olho nas qualidades 44
17. "A gente não tem diálogo" 46
18. O lado bom das diferenças 48
19. A epidemia do divórcio 50
20. Coração endurecido 52
21. Comunicar e entender 54
22. Individualidade também faz bem 56
23. Estranhos sob o mesmo teto 58
24. A balança das experiências 60
25. O Autor do casamento 62
26. Antes de subir ao altar 64
27. O casal e as redes sociais 66
28. Ser ou fazer? 68
29. Espaço na agenda 70
30. A melhor ferramenta 72
31. Famílias mistas 74
32. Achar-se garantido não garante 76
33. A tática do gelo 78
34. Gentileza gera gentileza 80

35. Abominando os gostos do outro 82
36. Estimulando a honestidade 84
37. Jardineiros do amor 86
38. Lar, doce lar 88
39. Sete hábitos a evitar 90
40. Medo x amor 92
41. Duas vidas em uma 94
42. Falar e deixar falar 96
43. Um quer mais que o outro 98
44. Casamento não muda ninguém 100
45. Se afastando emocionalmente 102
46. Quando acaba o encanto 104
47. Dificuldade de perdoar 106
48. Necessidades básicas 108
49. Do que os noivos mais precisam 110
50. Orçamento familiar 112
51. Via de mão dupla 114
52. Atenção não se implora 116
53. Primeiro o parceiro, depois os parentes 118
54. Mais que um pedaço de papel 120
55. Cancelando a dívida 122
56. A expectativa da perfeição 124
57. *Persona non grata* 126
58. Prevenindo problemas de casamento 128
59. Tentar um pouco mais 130
60. Quando o sangue sobe 132
61. O problema está mais embaixo 134
62. Rituais sagrados 136
63. Para fugir da rotina 138
64. Olhando para o alto 140
65. Cada um é cada um 142
66. O segredo que corrói por dentro 144
67. A pessoa mais importante para alguém 146
68. O desastre da imposição 148
69. Quando reconhecemos o valor? 150
70. Quando a crise chega 152
71. O primeiro filho 154
72. A importância do toque físico 156
73. Quando a intolerância é bem-vinda 158
74. Ponto de equilíbrio 160
75. Pensamentos de traição 162
76. Luta contra o vício 164
77. Vivendo e deixando viver 166

78. Tom de voz 168
79. Como agir diante da traição 170
80. Promessas não cumpridas 172
81. A chance da reconquista 174
82. O cordão que une as pérolas 176
83. Separação temporária 178
84. Comunicação em pequenos gestos 180
85. Atração começa na mente 182
86. Mudar para voltar 184
87. O presente da exclusividade 186
88. Da admiração à crítica 188
89. O direito de ficar calado 190
90. Fazer em vez de sentir 192
91. Pedido de desculpas 194
92. Pornografia: tiro pela culatra 196
93. Poupar é romântico 198
94. Amor não é só sentimento 200
95. Sem telepatia 202
96. Compromisso para a vida toda 204
97. Disciplina única 206
98. Casado com uma pedra 208
99. Ciúme e poder 210
100. Homem que é homem 212
101. Amor e amizade 214
102. Sexo e mente 216
103. Caminhada do Amor 218
104. Dois mandamentos 220
105. Amargura leva à morte 222
106. Um amor que pensa 224
107. Criem e usem ferramentas 226
108. Desejo não é essencial 228
109. Dica para atrair o outro 230
110. Insegurança masculina 232
111. A maratona do casamento 234
112. Como lidar com o parceiro que mente 236
113. Uma palavra que melhora seu casamento 238
114. A oportunidade que nasce do problema 240
115. Os perigos do vácuo 242
116. Seu casamento não é uma novela 244
117. Mais forte que um "eu te amo" 246
118. Palavras que ferem 248
119. Expectativas diferentes 250
120. Triângulo amoroso 252

Prefácio

Fiquei muito feliz ao receber o convite para escrever este prefácio. E, ao aceitar essa tremenda responsabilidade, eu me vi olhando para os meus 15 anos de casamento. Quantas histórias maravilhosas eu e o meu marido, Alexandre, vivemos nesse tempo — e quantos problemas superamos também!

Quando me casei, eu tinha apenas 17 anos e, como toda jovem noiva, carregava na mente e no coração muitos sonhos e planos. Conforme o tempo foi passando, os sonhos foram assumindo formas diferentes enquanto eu e Alexandre amadurecíamos individualmente e como casal. Creio que esse é o processo normal numa relação a dois. Claro que passamos — e ainda passaremos — por momentos de tensão, mas não tenho dúvidas de que uma união sólida resiste às dificuldades.

É certo que cada casal tem suas particularidades, já que não existem indivíduos iguais. Mas há algo comum a todos os casamentos: os problemas conjugais. Não conheço nenhum casal que nunca tenha enfrentado alguma dificuldade no relacionamento do dia a dia. E olha que conheço muita gente, até por causa da minha profissão! Embora as pessoas sejam diferentes e os problemas de cada um sejam únicos, ao mesmo tempo parece existir um padrão ou vários padrões que determinam categorias de problemas, como a dificuldade na comunicação ou a falta de perdão.

E é aí que entra a importância deste livro. O conteúdo de *120 minutos para blindar seu casamento* aborda os mais diversos tipos de problemas que podem afetar a relação conjugal, e faz isso de um jeito tão simples e prático que é impossível não se beneficiar dele.

Na minha profissão, muitas vezes tenho de me submeter a uma agenda lotada de compromissos. Se eu não tomar cuidado, a Ana Hickmann apresentadora e empresária sufoca totalmente a Ana esposa e, agora, mãe. Nessas horas, preciso pôr o pé no freio e me lembrar de que, antes de qualquer coisa, devo cuidar de minha relação com meu marido. O Alexandre também é muito ocupado, e o mesmo acontece com ele. Mas basta um minuto para ele e eu tomarmos a decisão de colocar um limite em nossa agenda e, assim, blindar o nosso casamento.

A expressão é perfeita porque é disso mesmo que um casamento precisa. Renato e Cristiane Cardoso, autores do sucesso *Casamento blindado*, sabem muito bem disso e, de forma generosa e eficiente, têm ajudado muitos casais a descobrirem a importância de blindar o casamento. Quem os acompanha pela TV ou pelas redes sociais comprova quanto as orientações que eles trazem são úteis.

Este livro é uma forma de ter tais orientações sempre à disposição. Em algum momento, quando as circunstâncias estiverem a ponto de comprometer a importância do seu casamento, você vai encontrar aqui um bom conselho. Aí então será capaz de repensar uma atitude precipitada e tomar a decisão que vai garantir a paz e o amor em sua vida conjugal.

Alexandre e eu superamos todas as adversidades, as pequenas crises que surgiram em nossa trajetória, graças a Deus. E temos hoje um horizonte cheio de esperanças, planos e projetos. Não são, obviamente, os mesmos sonhos de 16 anos atrás, mas posso afirmar que a convicção de que eu e ele acertamos na escolha um do outro não mudou.

Espero que o mesmo aconteça com você, não importa se o seu casamento foi há cinquenta anos ou cinquenta dias. Aproveite cada dica apresentada nestas páginas por esse querido casal. Acredite: os problemas surgirão, mas é possível vencê-los, e este livro será o aliado de que você precisa para conquistar a melhor de todas as vitórias, que é um casamento saudável, imune a tentações e intrigas e resistente ao tempo, um casamento blindado.

Ana Hickmann
Esposa, mãe, apresentadora e empresária.

Introdução

Tive uma surpresa agradável recentemente quando entrei em uma loja para comprar uma roupa de que gostei muito. A gerente me reconheceu e disse: "Você é a Cristiane do *Minuto do casamento*, não é?"

"Sim, sou eu", respondi, pensando que seria apenas mais uma ocasião em que alguém me reconhecia da televisão. Mas foi muito melhor do que isso.

"Eu tenho muito que agradecer a você e a seu marido", continuou ela. "Tenho assistido a vocês todos os dias. Ao meio-dia, não importa o que estou fazendo, eu paro e ouço atentamente aquela dica que vocês dão. Você pode não acreditar, mas aqueles sessenta segundos têm transformado a minha pessoa e o meu casamento."

Ela me contou como sua relação estava caminhando para o fim, como tinha se tornado uma pessoa fria e magoada devido aos vários problemas com o marido, e como agora tudo estava diferente. Até o marido mudou por causa da transformação que viu nela. O sorriso e o abraço que ela me deu disseram mais do que ela pôde com palavras.

Entrei na loja para comprar a roupa, mas levei muito mais do que esperava. Saí com uma grande alegria de saber que havíamos tocado aquela mulher e, através dela, seu marido e seus filhos. Salvamos mais um casamento. Como ela disse, é quase inacreditável que apenas um minuto do seu dia possa ter tamanho impacto em sua vida.

Lembro-me quando a Cristiane chegou em casa e me contou sobre sua conversa com a gerente da loja. Além de compartilhar a sua alegria, logo pensei em como poderíamos ampliar o efeito do *Minuto do casamento*, que já é um sucesso na televisão. Afinal, nem todos podem parar na frente da TV de segunda a sexta ao meio-dia para assistir às dicas.

Eu mesmo já tinha experimentado o poder de um minuto em nosso casamento. Como contamos em nosso livro *Casamento blindado*, uma ligação telefônica que durou menos de um minuto foi o ponto decisivo que mudou a nossa história. Em poucos segundos, as palavras de meu sogro conseguiram me fazer enxergar e resolver problemas que já duravam quase 12 anos em nosso casamento. Tal é o poder de um minuto, se focado nas palavras certas.

Vivemos nossas vidas por segundos e minutos, não por horas, dias e anos. A cada minuto nos deparamos com decisões a tomar, sentimentos a processar, pensamentos a rejeitar ou aprovar, tentações a resistir, e muitas outras situações mínimas que vão se acumulando e formando nossos dias, semanas, anos e toda a nossa vida. Neste exato momento, você não tem uma hora. Você não tem um dia. Você tem o agora, os segundos que estão passando no relógio. O que você vai fazer? Sua decisão agora, e daqui a pouco, e a cada momento, é o que definirá se no final deste dia você terá alcançado progresso ou não.

Não é diferente no casamento. Por isso a ideia de transformar o *Minuto do casamento* em livro.

É fácil subestimar este conteúdo pela sua simplicidade e concisão. Porém, há um poder inexplicável em cada um dos 120 minutos aqui escritos. Eles guardam segredos de blindagem que poucos casais conhecem e praticam.

Com certeza, nem todos se aplicarão a você hoje. Mas há pelo menos um — provavelmente mais — que, se você absorver com toda a sua mente e o seu coração, e colocá-lo em prática, poderá transformar você e seu casamento para sempre.

Como usar este livro

Os 120 minutos não estão em nenhuma ordem específica. Você pode lê-los em sequência, de trás para a frente, do meio para trás, fechar os olhos e abrir em uma página qualquer... apenas evite ler de cabeça para baixo, pois isso só dificultaria a leitura!

Como você vai ler não importa, mas sim o que você vai fazer com o que lê. Leia todos. Mas, quando se deparar com um texto, ainda que apenas uma frase, que aponta algo que você precisa fazer ou mudar, destaque-o com um marcador.

Faça daquilo seu desafio.

Dê a si mesmo uma tarefa para começar a implementar aquele conselho. E não abandone seu objetivo até alcançá-lo. Leia e releia. Medite. Ao continuar a leitura, junte outros conselhos que for encontrando. Você terá melhores resultados assim.

Colocamos em cada Minuto uma sugestão para você escolher o que vai fazer a respeito: "Preciso praticar", para onde tiver que melhorar; "Foi bom lembrar", para aquelas coisas que talvez precisem de reforço; e "Compartilhar com", para você comentar com seu cônjuge ou com um amigo que precisa daquela dica.

E lembre-se de que não é o livro que blinda seu casamento. É você. O livro está aqui apenas para lhe dar dicas do que fazer. Ouse praticá-las. Ainda que seu marido ou sua esposa no momento não queira ler este livro, faça como aquela gerente da loja: seja a mudança que você quer ver no seu casamento.

Um minuto pode mudar tudo. E você pode começar agora.

Renato e Cristiane Cardoso

1

"Nosso casamento está bom"

☐ Preciso praticar

☐ Foi bom lembrar

☐ Compartilhar com____________________

Pode parecer bobagem afirmar, mas o fato é que ninguém tem problemas no casamento até que eles comecem a aparecer. Quando menos se espera, a crise surge e, em geral, os parceiros acabam se lamentando: "Mas a gente estava tão bem, não sei como isso foi acontecer..." O casal jamais deve se acomodar no relacionamento, mesmo quando tudo vai bem. Se, ao olhar para sua relação, vocês podem dizer "estamos bem, está tudo certo no nosso casamento", sejam gratos e comemorem, mas, por outro lado, vejam isso como um sinal de que vocês não podem relaxar.

O excesso de confiança na relação pode gerar comodismo e preguiça e levar o casal, por exemplo, a abandonar coisas que tinha o costume de fazer logo que se casou. Portanto, nunca deixem de investir no relacionamento. Conversem periodicamente sobre a relação e tirem um tempo só para vocês.

Dica de blindagem:

Um bom casamento requer atenção e cuidado constantes.

2

Cinco regras para boas brigas

☐ Preciso praticar

☐ Foi bom lembrar

☐ Compartilhar com ______________________

____

Por incrível que pareça, as brigas entre o casal podem fazer bem. Sim, é isso mesmo. Desavenças podem ajudar os parceiros a se conhecerem melhor e levá-los a aprender a se adaptarem às diferenças entre um e outro. Para ser de fato proveitosa, uma boa briga de casal precisa, porém, seguir algumas regras:

1. **Não ignorem o problema**. Tratem de resolvê-lo o mais rápido possível. Problema adiado é problema piorado.

2. **Não gritem**. Educação cabe em qualquer lugar. Quem grita não parece mais forte, e sim mais fraco. Iniciem a conversa com brandura. Com jeito, até as conversas mais difíceis podem se tornar fáceis.

3. **Não tenham medo de reconhecer um erro**. É mais importante concordar sobre o que é certo do que sobre quem está certo.

4. **Não façam ataques pessoais!** Por exemplo, substituam o "você é um mentiroso!" por "vamos falar sobre os fatos". Desse modo, o foco estará apenas no problema.

5. **Combinem o que vão fazer de diferente sobre a situação.**

Dica de blindagem:

Sigam essas regras e boas brigas!

3

AMIZADES NOCIVAS

☐ Preciso praticar

☐ Foi bom lembrar

☐ Compartilhar com ______________________

Certas amizades podem ser nocivas ao relacionamento conjugal. Quando um amigo ou amiga rouba o tempo que deveria ser dedicado ao parceiro, causando ciúmes ou mesmo semeando pensamentos ruins na mente de um dos cônjuges, talvez seja hora de reconsiderar essa amizade. É natural que cada um tenha amigos no trabalho, na escola, na academia, no Facebook... Embora seja saudável cultivar amizades, elas não podem ameaçar a amizade mais importante que se deve ter: a do seu cônjuge.

Assim, certos cuidados e limites devem ser levados em consideração. Será que alguém precisa mesmo ter a "ex" no Facebook? Será que é inteligente ter um amigo íntimo do sexo oposto quando o casamento já não vai bem? Ou insistir numa amizade que gera insegurança e irritação em seu parceiro? Obviamente, não é preciso abrir mão da liberdade, e todo casal que vive bem tem amigos — o ideal, porém, é que não sejam amigos exclusivos, mas sim amigos em comum, a fim de não gerar desconfianças.

Dica de blindagem:

Proteger o casamento de amizades nocivas é praticar o amor inteligente.

4

Boa aparência

- ☐ Preciso praticar
- ☐ Foi bom lembrar
- ☐ Compartilhar com ____________________

____

A pergunta "você acha que eu estou gorda?" faz qualquer marido estremecer de medo antes de responder. Sem dúvida, são poucos os que arriscam uma resposta objetiva... Muitas pessoas deixam de se cuidar após o casamento, sem levar em conta que a apresentação pessoal diz muito sobre quem somos. Ela revela mais do que simplesmente o exterior. É possível estar com uma boa aparência e não estar bem no interior, mas não dá para estar bem interiormente e não refletir isso por fora.

Um cônjuge não vai deixar de amar o outro por causa da aparência, mas isso não significa uma autorização para o descuido pessoal. É justamente depois do casamento que o casal deve se cuidar ainda mais. Um parceiro representa o outro. Se um dos dois não se cuida, como ficará a imagem do cônjuge?

Dica de blindagem:

Cuidem da própria aparência.

5

Dependência e independência com equilíbrio

☐ Preciso praticar

☐ Foi bom lembrar

☐ Compartilhar com ____________________

____

Há dois males que podem acabar com qualquer casamento: dependência e independência demasiadas. Quando um cônjuge é muito dependente do outro, ele se torna chato, inseguro, deixa de ser interessante, acha que nunca poderá ser feliz sem a outra pessoa. Essa atitude pode até levá-lo a ser vítima de abuso no relacionamento.

Por outro lado, quando um cônjuge é independente demais, ele diminui a outra pessoa, pode chegar até a anulá-la, não se entrega no relacionamento, é egoísta e pode ver o casamento como um empecilho à sua felicidade.

Qualquer um desses dois extremos pode ser fatal para a relação. Por isso, todo cuidado é pouco para que o casal não incorra nesse erro. Um pouco de dependência e independência faz bem a qualquer um, mas sempre com equilíbrio. Em um casamento blindado, o marido e a esposa sabem bem os limites e não deixam que o relacionamento seja afetado por esses extremos.

DICA DE BLINDAGEM:

É preciso ser dependente e independente sempre na medida certa. Nunca demais!

6

Sempre há mais uma opção

☐ Preciso praticar

☐ Foi bom lembrar

☐ Compartilhar com ________________

Muitos cônjuges, nos momentos de crise na relação conjugal, se pegam pensando: "Eu já tentei de tudo para salvar esse relacionamento." Embora esse tipo de pensamento seja comum, isso quase nunca é verdade. É possível que já tenham tentado tudo o que *vocês sabem* para resolver os problemas do casamento, mas isso não quer dizer que já tentaram todas as opções que existem.

Sempre há alguma estratégia, uma outra forma ou dica que ainda não sabemos, mas que pode mudar tudo no nosso relacionamento. Foi assim que conseguimos resolver os nossos problemas; afinal, nos casamos para a vida toda, e não para nos divorciarmos. Essa convicção fez com que continuássemos tentando, em vez de desistir diante das dificuldades. Sempre há algo que vocês ainda não tentaram. A criatividade para explorar diversas soluções é uma importante habilidade no relacionamento. Não permitam que certas crenças populares os impeçam de crer que há uma saída.

Dica de blindagem:

Vale a pena dar mais um passo para salvar um casamento.

7

O SEU PRIMEIRO RELACIONAMENTO

☐ Preciso praticar

☐ Foi bom lembrar

☐ Compartilhar com____________________

____

Certa vez aconselhamos uma esposa cujo marido havia dito que não a amava mais e saiu de casa. Isso fez com que ela ficasse tão abalada que chegou a tentar o suicídio. Ela queria que nós a ajudássemos a trazer o marido de volta de qualquer forma. Mas, para ajudá-la, primeiro tivemos de fazê-la ver que o maior problema não era a separação, e sim a fraqueza emocional que ela demonstrava.

O primeiro relacionamento que uma pessoa tem é consigo mesma. Se nesse relacionamento não estamos bem, tampouco estaremos bem ao nos relacionarmos com o cônjuge, com os filhos ou com qualquer pessoa. Às vezes precisamos nos colocar em primeiro lugar e não nos preocupar demasiadamente com o outro. Nossa felicidade não deve depender de ninguém. A fé e a força interior são capazes de nos ajudar a reconstruir o nosso eu e nos dão a base para um relacionamento feliz. Trabalhem nessa base!

Dica de blindagem:

Nossa felicidade não deve depender de ninguém.

8

O QUÊ, COMO E QUANDO

☐ Preciso praticar

☐ Foi bom lembrar

☐ Compartilhar com ____________________

____

A maioria dos casais reconhece que a comunicação é fundamental no casamento. No entanto, comunicar-se bem com o cônjuge, sem gerar problemas, não é tão evidente assim. O que falar e como falar são pontos muito importantes. Mas não adianta muito dominar *o quê* e *o como* se a pessoa não souber *quando* falar. Há hora de falar e hora de calar.

Nem sempre quando a mulher está louca para conversar é o momento em que o marido está pronto para ouvir — como quando ele está assistindo ao futebol, por exemplo. Da mesma forma, não convém ao marido falar quando a esposa está estressada ou naqueles dias... Quando um dos dois está muito nervoso, também não é a melhor ocasião para dizer tudo o que vem à cabeça. Deixar o nervosismo passar, saber esperar o momento em que o parceiro está de bom humor e aberto à conversa, tudo isso faz parte de uma boa comunicação.

Dica de blindagem:

Há hora de falar e hora de calar.

9

O SUCESSO NÃO É AUTOMÁTICO

- ☐ Preciso praticar
- ☐ Foi bom lembrar
- ☐ Compartilhar com ______________

____

Ninguém é tolo a ponto de achar que merece sucesso automático em qualquer área profissional. Para crescer no trabalho, é preciso esforço, estudo e busca constante pela melhora do desempenho. No entanto, muita gente acredita que terá sucesso automático no casamento. Precisamos entender, de uma vez por todas, que casamento feliz é resultado de investimento. Os casais bem-sucedidos sabem disso e por isso nunca descuidam da relação conjugal.

Seu casamento não será bom sem esforço e dedicação. Vocês devem investir no tempo um com o outro, procurar melhorar como indivíduos e aprender a dialogar. Além disso, há outras ações que, se praticadas, podem fazer toda a diferença na vida a dois, como eliminar maus hábitos, afastar-se de certas amizades, preocupar-se em agradar seu parceiro e ser menos egoísta. Casamento não é conto de fadas, mas é um ótimo investimento.

Dica de blindagem:

O sucesso não é automático em nenhuma área da vida, muito menos no casamento.

10
Para-raios

☐ Preciso praticar

☐ Foi bom lembrar

☐ Compartilhar com ____________________

____

Foi Benjamin Franklin, o inventor do para-raios, quem disse: "Antes do casamento, os olhos devem estar bem abertos; depois do casamento, semicerrados." Isso acaba sendo um segredo para evitar raios no relacionamento conjugal também. Antes de entrar numa relação conjugal é preciso prestar muita atenção, escolher bem a pessoa com quem vai passar o resto da vida. Já depois de casados, os olhos devem ficar meio fechados, o que significa não ficar atentando para todo e qualquer defeito do parceiro.

Para evitar raios — as explosões no relacionamento — com briguinhas desnecessárias, é melhor fingir que não vemos certas coisas. Se o marido não levou o copo até a pia ou deixou a toalha molhada sobre a cama; se a mulher gastou um pouquinho a mais no shopping ou acordou de mau humor, o mais recomendável é que o casal não dê atenção excessiva a fatos desse tipo. Se quiserem saber mais sobre como instalar um para-raios em seu relacionamento, consultem nosso livro *Casamento blindado*.

DICA DE BLINDAGEM:

Olhos meio fechados evitam o excesso de raios no relacionamento.

11
Sujeira embaixo do tapete

- ☐ Preciso praticar
- ☐ Foi bom lembrar
- ☐ Compartilhar com ______________________

____

Um grave erro que muitos casais cometem é evitar discutir problemas que estão afetando a relação só para evitar brigas e assim manter a paz. O resultado disso é que questões não resolvidas vão se acumulando, crescendo, e, como ferida infeccionada, se tornam muito piores lá na frente. Uma boa discussão e até algum desentendimento entre o casal podem ser muito bons, porque é só assim que os dois têm a oportunidade de se conhecerem bem.

Esse momento de tensão é a ocasião adequada para que cada um exponha seus pontos de vista. Para que essas "briguinhas" apresentem bons resultados, porém, é preciso que os dois assumam uma atitude respeitosa, como deixar o outro falar sem interromper, não gritar, não xingar e não dar golpes baixos! Afinal, o objetivo sempre deve ser expor o que incomoda e chegar a uma conclusão positiva a respeito do que será feito em relação ao problema.

DICA DE BLINDAGEM:

Nada de varrer a sujeira para baixo do tapete. Enfrentem a questão e sigam em frente!

12
Fontes do ciúme

- ☐ Preciso praticar
- ☐ Foi bom lembrar
- ☐ Compartilhar com ______________________

____

Parece coisa de novela: o telefone dele toca, ela logo quer saber quem é; ela põe aquele vestido, ele não permite que ela saia sozinha... Cenas desse tipo não são raras na vida real. Quando há ciúmes em excesso no relacionamento, qualquer coisa pode ser motivo para briga. Todo tipo de ciúme é um sinal que indica das duas, uma: ou o ciumento é uma pessoa muito insegura, ou quem é alvo do ciúme está desrespeitando o parceiro pela forma como age. É possível até que as duas situações ocorram simultaneamente.

Não é prudente ignorar sentimentos que carregam tamanho potencial destrutivo como esse. Se o ciúme tem abalado a relação de vocês, observem se um dos dois precisa investir na autoconfiança a fim de se tornar uma pessoa mais segura. Certifiquem-se também de que a maneira de agir com as pessoas do sexo oposto não representa desrespeito ao parceiro.

Dica de blindagem:

Eliminem as fontes de dúvidas e o ciúme acabará!

13
Os melhores amigos

- ☐ Preciso praticar
- ☐ Foi bom lembrar
- ☐ Compartilhar com ____________________

____

Um dos maiores benefícios da relação conjugal é o companheirismo. Com o casamento, os parceiros dão início a uma caminhada em que um está sempre junto do outro. Infelizmente, talvez em função da vida muito ocupada que levam, muitos casais se esquecem dessa particularidade e cada um passa a viver em seu próprio mundo, ignorando o que acontece no mundo do cônjuge. Sem companheirismo, não existe casamento, mas sim uma relação com data de validade e fadada ao fracasso.

Os casais mais felizes são aqueles em que marido e mulher são os melhores amigos um do outro. Ser companheiro é ter sempre o parceiro no radar, é incluí-lo em todos os seus planos e estar em todos os planos dele. Procurem desenvolver o companheirismo ouvindo sem julgar, compartilhando os momentos bons e os maus e apoiando o cônjuge, mesmo quando ninguém mais acredita nele.

Dica de blindagem:

Ser companheiro é ser um em dois e dois em um.

14
Concordar em discordar

☐ Preciso praticar

☐ Foi bom lembrar

☐ Compartilhar com ____________________

____

No decorrer da vida conjugal vocês já devem ter percebido que nem sempre é possível chegar a um acordo sobre tudo. A melhor solução nesses casos pode ser concordar em discordar. Isso acontece quando vocês têm opiniões bem diferentes sobre determinado assunto, e, por mais que tenham tentado argumentar, não conseguiram convencer um ao outro.

Por exemplo, um de vocês acha que o dinheiro extra do orçamento deve ser destinado às merecidas férias, mas o outro entende que o mais correto é economizar. Os dois têm razões válidas — então, o que fazer? O melhor, em vez de brigar e levar o caso ao extremo, é simplesmente concordar que vocês discordam sobre o assunto, ou seja, não fazer disso um grande problema. A partir daí, num espírito de respeito e compreensão, vocês podem negociar uma solução aceitável para os dois. Ambos terão de abrir mão de alguma coisa, compensar o outro que cedeu de alguma forma, mas a prioridade é sempre a relação.

DICA DE BLINDAGEM:

Concordar em discordar pode ser a melhor solução para um problema!

15
CONSERTAR OU JOGAR FORA?

- ☐ Preciso praticar
- ☐ Foi bom lembrar
- ☐ Compartilhar com ____________________

____

Certa vez perguntaram a um casal que completava 65 anos de casamento como conseguiam manter um compromisso por tanto tempo. A resposta foi desconcertante: "Nós nascemos em uma época em que, quando algo quebrava, éramos ensinados a consertar e não a jogar fora." Consertar em vez de jogar fora. Se os casais hoje em dia desenvolvessem essa mentalidade não haveria tantas separações e divórcios.

A verdade é que qualquer casamento passa por dias ruins. Haverá momentos em que vocês sentirão vontade de jogar tudo para o alto e partir para outra. Mas, se um dos dois, ou ambos, esfriar a cabeça e pensar "O que posso fazer para consertar essa situação?", aquela frustração vai passar, e vocês descobrirão como agir de modo a restaurar a paz no convívio a dois. Os relacionamentos, os filhos e o coração não são descartáveis. Ao contrário, são bens valiosíssimos que valem todo o esforço feito para preservá-los.

Dica de blindagem:

Em vez de jogar fora, conserte!

16

De olho nas qualidades

- ☐ Preciso praticar
- ☐ Foi bom lembrar
- ☐ Compartilhar com ______________________

____

Todo mundo sabe que não existem pessoas perfeitas, e o casamento parece ser o palco ideal para que os defeitos de alguém se tornem evidentes. Por isso é tão fácil e comum os cônjuges criticarem um ao outro, já que as imperfeições ficam bem aparentes no relacionamento cotidiano. A crítica constante, porém, é o caminho certo para a infelicidade no amor. Um casal precisa aprender a valorizar o que há de melhor um no outro, em vez de se concentrar nos defeitos; procurar o que está certo com o parceiro, não o que está errado.

Tirando os problemas sérios, que obviamente não podem ser ignorados, a maioria dos fatores estressantes da vida conjugal é corriqueira. Por isso, quando seus olhos forem atraídos para um defeito do seu parceiro, procure lembrar-se das qualidades que ele também tem. Um cônjuge precisa ter no outro um verdadeiro fã, alguém que o admire, apesar de suas imperfeições.

Dica de blindagem:

Sejam fãs um do outro. Concentrem-se nas qualidades, não nos defeitos!

17

"A GENTE NÃO TEM DIÁLOGO"

- ☐ Preciso praticar
- ☐ Foi bom lembrar
- ☐ Compartilhar com ____________________

____

Uma das maiores reclamações entre os casais é a falta de diálogo no casamento. Quando os parceiros não conseguem mais conversar, tudo começa a dar errado. Não há acordo sobre as finanças, sobre a disciplina das crianças, sobre as tarefas da casa... Sempre que algumas questões não são tratadas, os probleminhas adquirem potencial para se transformarem em problemões! Diálogo no casamento é como o óleo no motor do carro. Se a manutenção não estiver em dia, pode comprometer o motor inteiro. Para melhorar o diálogo, cada um de vocês deve ter em mente estas regrinhas:

1. **Escolha a hora ideal para falar, nunca quando a outra pessoa estiver estressada.**

2. **Sempre comece em tom suave, nunca agressivamente nem com ironia ou cobranças.**

3. **Ouça mais do que fale, mas fale também! Não deixe para o outro a tarefa de adivinhar seus pensamentos.**

DICA DE BLINDAGEM:

Tudo se resolve quando se sabe conversar!

18

O LADO BOM DAS DIFERENÇAS

- ☐ Preciso praticar
- ☐ Foi bom lembrar
- ☐ Compartilhar com ______________________

____

Os opostos se atraem. Esse conceito da física é comumente aplicado às relações humanas. No início do namoro as características opostas de um homem e de uma mulher parecem fazer deles o par perfeito. Até que se casam, e as diferenças já não parecem tão interessantes. Agora, um quer mudar o outro — ela quer que ele seja mais descontraído, parecido com ela; ele quer que ela seja mais séria e centrada, como ele.

As diferentes personalidades não precisam ser motivo de irritação no seu casamento. Basta que cada um aprenda a apreciar e se ajustar às características do outro. E a melhor maneira de conseguir isso é procurar enxergar o lado bom das diferenças e saber aproveitá-las, permitindo que elas trabalhem a favor de vocês, não contra. Se um dos dois é sério demais, o cônjuge mais espontâneo deve usar essa qualidade para alegrar os ânimos. Se um dos dois é impulsivo demais, o cônjuge mais centrado deve usar seu jeito mais racional para ajudar o parceiro. Dessa maneira, ambos saem fortalecidos e a relação só tem a ganhar.

Dica de blindagem:

Aprendam a tirar proveito das diferenças!

19
A EPIDEMIA DO DIVÓRCIO

☐ Preciso praticar

☐ Foi bom lembrar

☐ Compartilhar com ______________

Uma pesquisa revelou que separação e divórcio podem ser tão contagiosos quanto uma gripe. O estudo verificou que, se o círculo de amizades de uma pessoa inclui muitos separados e divorciados, a chance dessa pessoa também acabar sozinha é maior. Isso acontece porque somos muito influenciados pelas pessoas com quem convivemos. Além disso, é natural que alguém que tenha superado o problema conte só as vantagens da separação, dando a impressão aos amigos de que o divórcio é uma boa ideia.

Ninguém precisa começar a apagar do celular todos os contatos de pessoas divorciadas, mas essa informação deve servir como um alerta. Um casal que pretende preservar sua vida conjugal deve tomar cuidado para não se deixar contagiar pela ideia de separação. Jamais julguem o seu relacionamento tendo o de seus amigos como padrão.

Dica de blindagem:

Pensem sempre no que é melhor para vocês e cuidado com a gripe do divórcio!

20

Coração endurecido

☐ Preciso praticar

☐ Foi bom lembrar

☐ Compartilhar com________________________

____

Por trás de todo divórcio e de todo casamento infeliz está um coração endurecido. Quando o coração de um dos cônjuges se torna como pedra, a felicidade conjugal não é apenas difícil. É impossível. Muitas coisas podem endurecer o coração do marido ou da mulher. A dor da traição, mágoas, mentiras e orgulho são apenas algumas delas. Às vezes endurecemos o coração para nos protegermos. Prometemos que nunca mais vamos permitir que o outro nos machuque. Só que isso não resolve o problema.

A dureza de coração não apenas impede que o parceiro se aproxime, mas também torna a pessoa prisioneira da situação — e o destino realmente acaba sendo a "solitária". A boa notícia é que é possível quebrar as paredes de pedra de um coração duro. A solução consiste em aprender a perdoar, livrar-se do passado e não mais se achar uma vítima. Dedicamos um capítulo inteiro no livro *Casamento blindado* para ajudá-los a se curarem da dureza do coração.

DICA DE BLINDAGEM:

Um coração endurecido precisa de tratamento.

21 Comunicar e entender

☐ Preciso praticar

☐ Foi bom lembrar

☐ Compartilhar com ____________________

____

Saber se comunicar com o parceiro não é apenas transmitir uma ideia ou um desejo, mas entender também o que ele quer dizer. E isso é quase uma arte. É muito comum, por exemplo, que um cônjuge fale o que pensa enquanto o outro diz o que sente. Isso acaba gerando desentendimentos, porque ambos se comunicam de maneiras diferentes, e por isso nem sempre um entende o que o outro quer dizer.

Se a esposa afirma não precisar de ajuda, pode ser que, na verdade, esteja querendo dizer que se o marido realmente se importasse, ela não precisaria pedir. Se o marido diz que não quer falar sobre determinado assunto, talvez isso seja verdade. Convém não insistir! Para evitar mal-entendidos que podem ser bem desgastantes no casamento, é importante que cada um procure entender bem o que o parceiro realmente quer dizer. A comunicação só acontece de fato quando os dois parceiros se entendem perfeitamente.

Dica de blindagem:

Saber se comunicar é importante. E entender bem é mais ainda!

22
INDIVIDUALIDADE TAMBÉM FAZ BEM

☐ Preciso praticar

☐ Foi bom lembrar

☐ Compartilhar com ________________
____

Em um casamento bem-ajustado, marido e mulher são um, o que significa compartilhar quase tudo da vida a dois. Vivem juntos, comem na companhia um do outro, enfrentam os problemas unidos... Isso ajuda a fortalecer o relacionamento. Um pouquinho de individualidade, porém, também não faz mal. Incentivar o parceiro a realizar atividades de que gosta, sozinho ou com amigos, pode fazer muito bem ao casal.

O marido pode jogar futebol com os amigos, a mulher pode ir ao cinema com as amigas, afinal, existem coisas que, às vezes, não dá para vocês fazerem juntos. Obviamente essas atividades não devem consumir ou invadir o tempo de vocês como casal nem incluir nada que faça o parceiro se sentir incomodado. Outra coisa importante é demonstrar interesse pelo que o parceiro gosta. Ouvir com atenção os detalhes do filme ou da partida de futebol acaba sendo uma maneira fácil de variar a rotina e de mostrar respeito e admiração pelo outro.

DICA DE BLINDAGEM:

Um pouco de individualidade pode fazer bem ao relacionamento!

23
ESTRANHOS SOB O MESMO TETO

☐ Preciso praticar

☐ Foi bom lembrar

☐ Compartilhar com____________________

____

Existe uma tendência perigosa, mas muito comum, rondando os casais hoje em dia: marido e mulher vivendo como dois estranhos dentro da própria casa. No início do casamento isso não costuma acontecer. Há amizade, diálogo e troca de informações. Os cônjuges vivem bem próximos um do outro. Mas, com o passar do tempo, é grande o risco de que certas coisas fiquem entre eles. A carreira, os amigos, a internet, o trabalho, e, às vezes, até os filhos e as atividades de lazer vão tomando o lugar do parceiro. Com isso, aos poucos, os dois se distanciam, apesar de continuarem morando debaixo do mesmo teto.

A proximidade e a intimidade do casamento devem ser protegidas. Abram mão do egoísmo. Procurem saber o que se passa na vida um do outro. Demonstrem interesse pelo que o parceiro se interessa. Entristeçam-se e alegrem-se juntos. Boas doses diárias de admiração e interesse mútuo podem aproximar cada vez mais um casal.

DICA DE BLINDAGEM:

Doses diárias de admiração e interesse pelo parceiro previnem o afastamento conjugal.

24
A BALANÇA DAS EXPERIÊNCIAS

- ☐ Preciso praticar
- ☐ Foi bom lembrar
- ☐ Compartilhar com ____________________

____

Um estudo mostrou que para cada experiência ruim no casamento são necessárias cinco experiências boas para compensar. Isso se deve ao fato de que as experiências ruins não se apagam facilmente. Um casal interessado em manter uma boa convivência deve sempre avaliar o saldo de ocorrências de seu relacionamento. A briga do fim de semana ou o comentário infeliz do outro dia precisam ser devidamente compensados.

Só porque "errar é humano" não significa que não precisamos reparar o erro. O tempo, neste caso, não repara, só acumula as lembranças ruins. As boas experiências, capazes de encobrir as ruins, não precisam ser grandiosas ou sofisticadas. É fácil procurar agradar o parceiro — convidar para jantar fora, ajudar nas tarefas de casa, preparar o prato predileto, fazer um elogio... Não se preocupem em saber o motivo desta fórmula de cinco por um. Apenas façam, porque funciona!

DICA DE BLINDAGEM:

Lembrem-se: para cada erro, cinco acertos.

25
O Autor do Casamento

- ☐ Preciso praticar
- ☐ Foi bom lembrar
- ☐ Compartilhar com ______________________

____

Quando o proprietário de um carro novo procura o revendedor para consertar um defeito no veículo, ninguém estranha ou critica a medida. Essa é a atitude mais lógica. Qualquer pessoa faz a mesma coisa, afinal, ninguém entende melhor o automóvel do que o fabricante. No casamento, entretanto, muitos insistem em buscar com terceiros soluções que, em geral, não funcionam.

Houve um momento em nossa relação conjugal em que ninguém foi capaz de nos ajudar. Nem amigos, nem os pais, ninguém. Então, recorremos ao fabricante, ao Autor do casamento, que é Deus. Fizemos isso juntos e usamos nossa fé de maneira ousada, falando com Deus em nossas orações: "Sabemos que o Senhor não gosta de divórcio, então nos ajude a evitá-lo!" Contamos mais sobre isso em nosso livro *Casamento blindado*, e o resultado foi que Deus consertou o que estava quebrado!

Dica de blindagem:

Se tudo mais falhar, vá direto ao Fabricante!

26

ANTES DE SUBIR AO ALTAR

☐ Preciso praticar

☐ Foi bom lembrar

☐ Compartilhar com___________________

____

Casamento marcado, preparativos a todo vapor, expectativa e ansiedade em elevação... É natural que o estresse aumente numa ocasião importante como essa, mas uma coisa começa a gerar preocupação em ambos: mesmo antes do casamento, vocês já estão tendo alguns probleminhas. Ciúmes, divergências quanto ao uso do dinheiro, ânimos esquentados são alguns dos agentes causadores dessa preocupação. Então, bate aquele medo: "Será que isso vai piorar depois que casarmos?" Bem, temos uma boa e uma má notícia. A má notícia é que os problemas que vocês têm antes do casamento provavelmente vão piorar depois que se casarem. Mas, antes de cancelarem tudo, prestem atenção à boa notícia: há como evitar isso.

Casais inteligentes estão aprendendo que é preciso mais do que amor para manter o casamento. É preciso que ambos recebam uma boa educação matrimonial. Como alguém que estuda antes de assumir um cargo que exige conhecimentos específicos e continua estudando para se manter atualizado e competitivo, o mesmo acontece no casamento. Saiba mais sobre o nosso curso pré-nupcial em *casamentoblindado.com/curso.*

Dica de blindagem:

O bom casamento depende da boa educação matrimonial.

27
O casal e as redes sociais

☐ Preciso praticar

☐ Foi bom lembrar

☐ Compartilhar com ____________________

____

Um dos fatores que mais têm potencial para gerar problemas no casamento hoje em dia é o uso indevido e indiscriminado de redes sociais, SMS e outros meios de comunicação. Se o casal não se respeita, pode haver ciúme, desconfiança e, consequentemente, muitas brigas. Por isso, é importante que vocês combinem entre si e adotem certas regras de uso desses meios.

Uma das principais e mais recomendáveis regras é a transparência. Permitir ao parceiro o livre acesso ao Facebook, e-mail, celular etc. só reforça a ideia de que não há segredos entre os cônjuges. Não é questão de bisbilhotar ou de perder a privacidade (até porque vocês abriram mão da privacidade no dia do casamento), trata-se, sim, de fortalecer a confiança um no outro sem abrir mão de contatos sociais saudáveis.

Dica de blindagem:

Saibam ser sociais dentro do casamento.

28
Ser ou fazer?

☐ Preciso praticar

☐ Foi bom lembrar

☐ Compartilhar com ____________________

____

Muitos casais com problemas persistentes no relacionamento acabam chegando a uma conclusão: "Não fomos feitos um para o outro." "Não somos almas gêmeas." Mas o que, em geral, muitos confundem é o *ser* a pessoa certa com o *fazer* as coisas certas. Se um dos cônjuges não se empenhar em fazer o que é certo — o que é necessário para um bom casamento —, provavelmente desenvolverá a sensação de que ninguém serve para ele.

Uma boa vida conjugal requer certas atitudes. Além de fidelidade e atenção, é preciso ser gentil, falar com respeito, colocar o outro em primeiro lugar, cuidar bem do parceiro, eventualmente até sacrificar a vontade, entre outros. Em vez de ficarem duvidando se seu cônjuge é mesmo a pessoa certa, comecem a fazer as coisas certas para o relacionamento.

DICA DE BLINDAGEM:

Se é certo, façam; se não é certo, não façam. É assim que vocês vão se acertar!

29
Espaço na agenda

☐ Preciso praticar

☐ Foi bom lembrar

☐ Compartilhar com____________

____

A esposa reclama para o marido: "Amor, nem lembro a última vez que a gente saiu para passear..." O marido responde: "Passear? Você sabe que eu não tenho tempo para isso!"

Muitos casais cometem o grave erro de não incluir o parceiro na própria agenda. Os diversos compromissos do dia a dia, o trabalho, a televisão, o computador, as crianças... Temos a tendência de nos envolver com tantas coisas que, se não estivermos atentos, nunca sobra tempo para nosso parceiro.

Casais inteligentes planejam e reservam tempo um para o outro. A palavra-chave aqui é *planejar*! A atividade, o dia, o horário de estar com o cônjuge não acontecem por acidente. É preciso definir tudo com antecipação. O jantar romântico, o cinema no fim de semana e a caminhada no parque são compromissos tão importantes quanto qualquer outro. Se a pessoa mais importante para alguém realmente é o parceiro, nada mais natural que a agenda de ambos gire em torno um do outro.

Dica de blindagem:

Coloquem o parceiro na agenda.

30

A MELHOR FERRAMENTA

- ☐ Preciso praticar
- ☐ Foi bom lembrar
- ☐ Compartilhar com ____________________

____

Todo ser humano, em algum momento da existência, experimenta emoções como alegria, tristeza, raiva, prazer, desânimo, frustração e muitas outras. Mas há uma ocasião em que elas são perigosas: na hora de resolver problemas. Emoção é a ferramenta errada para lidar com conflitos e dificuldades conjugais. Quando enfrentam situações difíceis no trabalho, por exemplo, as pessoas costumam recorrer à inteligência. Esta sim é a ferramenta adequada.

No casamento, é comum deixarmos os sentimentos falarem mais alto quando os problemas chegam. Só que, no calor da emoção, não resolvemos nada e ainda criamos novos contratempos. É como tentar arrancar um prego com uma chave de fenda. A ferramenta errada não ajuda muito e ainda pode machucar. Procurem resolver os problemas e diferenças da vida conjugal usando a inteligência e a razão. Não ajam por impulso. Pensem antes de falar e agir. Nem sempre é fácil... Mas não é impossível.

Dica de blindagem:

Emoção só piora o problema. Inteligência resolve.

31
Famílias mistas

- ☐ Preciso praticar
- ☐ Foi bom lembrar
- ☐ Compartilhar com ____________________

____

Hoje em dia é muito comum a formação de famílias mistas, o que significa que muitos casais têm de conviver com filhos que vieram de outros relacionamentos. Embora não seja a situação ideal, esta é a realidade na vida de muitas pessoas e, se não for gerenciada com cuidado, pode gerar atritos no relacionamento. O casal precisa administrar situações que envolvem ciúmes, desconfiança, interferência dos "ex", sem contar o que passam as crianças.

Uma maneira muito eficaz de tratar o assunto é estabelecer regras e respeitá-las sempre. Por exemplo, uma dessas regras pode ser manter o contato com o "ex" apenas para conversar sobre questões referentes às crianças, a fim de evitar ciúmes do parceiro. Outra boa regra é informar o parceiro a respeito de todas as comunicações com o "ex". Isso demonstra respeito e fidelidade ao cônjuge o tempo todo. Criem regras segundo as necessidades e a situação de vocês. E lembrem-se de que elas só funcionarão se forem respeitadas.

Dica de blindagem:

Algumas regras não admitem exceção.

32

ACHAR-SE GARANTIDO NÃO GARANTE

☐ Preciso praticar

☐ Foi bom lembrar

☐ Compartilhar com ______________________
____

Certa vez aconselhamos uma esposa que nos escreveu muito abalada porque o marido havia acabado de pedir o divórcio depois de 17 anos de união. Ela contou que sabia que o casamento estava uma droga, mas não esperava que o marido a deixasse. Ele se queixava de que ela o havia abandonado sexualmente e que não levava em conta suas emoções, e, por fim, esse homem acabou se envolvendo com outra mulher. Felizmente conseguimos ajudá-la, e eles conseguiram salvar o casamento. Mas a lição serve para todos: nunca veja seu casamento como algo garantido.

Quando um dos cônjuges se sente seguro demais na relação, isso pode levá-lo a ficar acomodado, desprezar o parceiro, achando que o outro sempre estará lá, não importa o que aconteça. Quem pensa e age dessa maneira precisa tomar cuidado para não ter uma surpresa desagradável algum dia. A conquista do amor deve continuar dia após dia no casamento, de modo que nenhum dos cônjuges jamais tenha motivo para desejar trocar o parceiro por outra pessoa.

Dica de blindagem:

Sempre é melhor se garantir.

33
A TÁTICA DO GELO

- ☐ Preciso praticar
- ☐ Foi bom lembrar
- ☐ Compartilhar com______________

Algumas pessoas gostam de usar a tática de dar um gelo no parceiro, isto é, tratá-lo com frieza, a fim de puni-lo ou mostrar que estão com raiva por algo que aconteceu. O problema é que a única coisa que esse gelo faz é esfriar a relação. Não resolve nada e ainda faz quem escolhe essa tática parecer infantil e fraco diante de suas emoções.

Eu era assim. Dava gelo na Cristiane porque eu não sabia lidar com a minha raiva nem com os problemas da nossa relação. Mas aprendi como vencer isso e desde então aqueles dias de frieza não acontecem mais. Contamos como conseguimos superar isso no livro *Casamento blindado*. Mas lembrem-se de que é importante vocês trabalharem juntos a fim de desenvolverem novas táticas para lidar com as emoções. Ninguém é perfeito. Sempre é tempo de melhorar e aprender coisas novas.

DICA DE BLINDAGEM:

Dê um gelo no gelo e o calor vai voltar para a sua relação!

34

GENTILEZA GERA GENTILEZA

☐ Preciso praticar

☐ Foi bom lembrar

☐ Compartilhar com__________________

____

Faz parte da boa educação que os pais dão a seus filhos ensiná-los a se comportar com outras pessoas. Dizer "obrigado" e "por favor", dar o assento para os mais velhos, e assim por diante, com certeza, são coisas que vocês aprenderam na infância. Pequenas gentilezas e gestos de respeito demonstram uma boa educação, essencial para o convívio numa sociedade.

No casamento, porém, muitos casais se esquecem de colocar em prática pequenas atitudes como essas e são grosseiros um com o outro. Isso vai ferindo o relacionamento, porque quem deveria tratar melhor a pessoa que está a seu lado é aquela que faz justamente o oposto. Pratiquem a boa educação dentro do relacionamento. Sejam gentis com seu parceiro, pois os pais de vocês estavam certos: a boa educação começa em casa.

Dica de blindagem:

Educação cabe em qualquer lugar, e isso inclui o casamento.

35
Abominando os gostos do outro

- ☐ Preciso praticar
- ☐ Foi bom lembrar
- ☐ Compartilhar com____________________

O marido adora praia, ouve música agitada e gosta de sair com os amigos. A mulher odeia praia, abomina o gosto musical do marido e despreza os amigos dele. Se vocês se identificam com essa descrição, bem-vindos às diferenças que se tornam mais aparentes depois do casamento! Todo casal passa por isso, o que não quer dizer que a relação será horrível por causa delas.

Mesmo depois de casados, mantemos muitos de nossos gostos e individualidades, que nunca irão mudar. Infelizmente, algumas pessoas, numa atitude nada inteligente, passam anos tentando mudar o parceiro e criticando aquilo de que ele mais gosta. A melhor alternativa, porém, é respeitar os gostos do seu cônjuge. Desde que não seja algo que coloque em risco o relacionamento, aprendam a compreender e encarar as diferenças com leveza e bom humor. E, de vez em quando, um pode acompanhar o outro na atividade que causa divergência, como um gesto de afeto e admiração.

Dica de blindagem:

Casais inteligentes sabem respeitar as diferenças.

36

ESTIMULANDO A HONESTIDADE

☐ Preciso praticar

☐ Foi bom lembrar

☐ Compartilhar com ____________________

____

A honestidade é, sem dúvida, uma virtude das mais apreciadas. Ninguém gosta de mentiras, especialmente no relacionamento. Há maneiras, porém, de encorajar o outro a ser desonesto. Quando um dos cônjuges fala a verdade e isso gera uma tremenda cena, com muito grito, xingamento e choro, é possível que, da próxima vez, ele opte pela mentira.

A maneira de reagir à honestidade pode ou não motivar o parceiro a ser sempre honesto. Em vez de reações emotivas, agradeçam pela franqueza um do outro. Se for preciso, peçam um tempo para pensar, mas logo retomem a conversa. É claro que a verdade pode até deixá-los com raiva, mas a raiva passa. O que fica é a decisão de vocês quanto ao que será feito diante dos fatos.

DICA DE BLINDAGEM:

Reaja bem à honestidade de seu cônjuge, e ele não terá medo de ser honesto da próxima vez.

37

Jardineiros do amor

- ☐ Preciso praticar
- ☐ Foi bom lembrar
- ☐ Compartilhar com ____________________

____

Imagine um belo jardim na primavera. A grama aparada, o colorido e o perfume das flores, o orvalho nas folhas, aquele cheirinho de mato molhado pela manhã... Quem não gostaria de tomar um pouco de sol numa bela manhã de céu azul enquanto aprecia uma paisagem assim? Basta, porém, que esse mesmo jardim fique abandonado por algumas semanas, e a imagem será bem diferente. Do mesmo modo que um jardim precisa de cuidado diário e constante, assim é o casamento. É tolice relaxar e achar que só porque vocês estão bem hoje, estarão bem amanhã.

Os casais inteligentes estão sempre cuidando da relação, tirando os espinhos das desavenças e regando o amor com muita apreciação um pelo outro. Um jardim florido e um casamento feliz dão trabalho, mas as recompensas valem a pena.

Dica de blindagem:

Seja o atencioso jardineiro do seu casamento.

38
Lar, doce lar

☐ Preciso praticar

☐ Foi bom lembrar

☐ Compartilhar com ____________________

____

O lar é aquele abrigo que temos no fim do dia. Deveria ser o local mais agradável do mundo, pois lá reside a certeza de sermos compreendidos, aceitos, admirados e amados.

Mas isso nem sempre acontece. Muitos casais se esquecem de quanto isso é importante e, quando chegam em casa, descontam todo o estresse no parceiro. E, assim, o que deveria ser um lar acolhedor se torna mais um campo de batalha na vida dos cônjuges.

A vida já não é fácil lá fora, onde vale a lei de "cada um por si e Deus por todos". Não deixem que a casa de vocês seja uma extensão desse ambiente ruim. Procurem oportunidades para transformar seu lar no local onde seu parceiro mais anseia estar. Pequenos gestos, como um sorriso, um carinho, um elogio e uma palavra meiga, fazem a vida ser muito mais agradável, e o seu lar, um doce lar!

Dica de blindagem:

Façam o lar de vocês ser o lugar mais agradável do mundo.

39
Sete hábitos a evitar

- ☐ Preciso praticar
- ☐ Foi bom lembrar
- ☐ Compartilhar com ____________________

____

Há sete maus hábitos que podem arruinar um casamento:

1. Quase nunca ter sexo.

2. Desistir de cuidar do corpo, da aparência e da saúde.

3. Passar tempo demais com parentes e amigos.

4. Não fazer atividades juntos.

5. Não consultar o parceiro ao fazer compras importantes.

6. Criticar o parceiro mais que elogiar.

7. Deixar de lado gestos que demonstram carinho e apreciação pelo parceiro.

Esses hábitos ruins tendem a crescer quando vocês descuidam da relação, sendo sinais de que coisas piores poderão acontecer, como até mesmo uma possível separação. Tenham em mente que é difícil abandonar certos maus hábitos, mas não impossível. Se uma ou mais dessas atitudes estão afetando o relacionamento de vocês, comecem hoje mesmo a fazer algo a respeito. Invistam no seu casamento com determinação e persistência.

Dica de blindagem:

Não se deixem vencer pelos maus hábitos. A hora da mudança é agora!

40
Medo x amor

- ☐ Preciso praticar
- ☐ Foi bom lembrar
- ☐ Compartilhar com ________________

____

Muitas coisas não combinam com o amor, como, por exemplo, traição, mentiras, maus-tratos e egoísmo. Há ainda uma coisa tão nociva quanto essas, mas não tão óbvia: o medo. Amor e medo não combinam. Na maior parte das vezes, é o medo no relacionamento que gera a insegurança, o ciúme, as mentiras, o querer agradar todo mundo, a tolerância com as cafajestagens do parceiro, o estresse e muitas outras coisas ruins.

O verdadeiro amor joga fora o medo. Para que o relacionamento seja de fato bom, é preciso que cada cônjuge, além de confiar no parceiro, confie em si mesmo. Para ser valorizado e respeitado pelo outro é necessário que cada um se valorize e se respeite individualmente. Observem se a relação de vocês está sendo afetada pelo medo, seja pelas inseguranças de um, seja pelas do outro. Se a resposta for sim, comecem a lidar com isso enfrentando as causas do medo e desenvolvendo a confiança.

Dica de blindagem:

O verdadeiro amor joga fora o medo.

41
Duas vidas em uma

- ☐ Preciso praticar
- ☐ Foi bom lembrar
- ☐ Compartilhar com ____________________

____

Um dos principais ideais do casamento é dividir todos os momentos, fazer duas vidas se tornarem uma só. É muito fácil entender esse raciocínio, afinal, duas cabeças pensam melhor que uma, e um fardo carregado por dois fica mais leve. Melhor do que ser um herói solitário é ter alguém que nos admire e torça por nós.

Entretanto, se não tomar os devidos cuidados, um casal pode acabar vivendo vidas separadas, em que um cônjuge não sabe o que está acontecendo no dia a dia do outro. Em um casamento blindado, marido e mulher procuram estar juntos o máximo de tempo possível. Ele gosta que a esposa esteja a seu lado aonde quer que vá. Ela o inclui em todos os seus planos. Dessa forma, sempre unidos, eles se tornam mais fortes e hábeis para vencer os problemas quando estes surgirem.

Dica de blindagem:

Aproximem-se um do outro. A vida realmente é melhor a dois.

42

Falar e deixar falar

- ☐ Preciso praticar
- ☐ Foi bom lembrar
- ☐ Compartilhar com ____________________

____

Em nossa experiência com aconselhamento, percebemos um fato curioso: quase todos os casais têm um cônjuge que se expressa melhor do que o outro. E isso não é um problema, a não ser quando o parceiro que é mais articulado, sem perceber, acaba sufocando qualquer tentativa do outro de se expressar. Um marido colocou isso em palavras: "Ela não me deixa falar; quando eu estou tentando expor meu pensamento, ela me corta... E aí eu simplesmente desisto, me fecho e não quero falar mais."

O cônjuge que é o melhor comunicador deve procurar não interromper o parceiro quando este estiver falando. Quem comunica bem precisa saber ouvir e ser paciente, pois o que é muito fácil para um pode ser muito difícil para outro. Já o parceiro que tem mais dificuldade de se expressar deve procurar esforçar-se um pouco mais, pois o que ele pensa também é muito importante para o relacionamento dos dois.

DICA DE BLINDAGEM:

O bom comunicador é aquele que, acima de tudo, sabe ouvir.

43

Um quer mais que o outro

☐ Preciso praticar

☐ Foi bom lembrar

☐ Compartilhar com ____________________

____

Quase todos os casamentos passam por períodos em que um parceiro tem menos desejo sexual do que o outro. Estresse no trabalho, depressão, doença física ou extrema tensão no relacionamento podem diminuir radicalmente a libido de um ou de outro. Sentimentos de rejeição e frustração são comuns nesses períodos. E ambos sofrem: tanto o parceiro com menos desejo quanto o que se sente insatisfeito pela falta de intimidade.

A primeira coisa é entender que vocês não são o único casal que passa por isso, portanto, não se desesperem. A solução quase sempre já está aí dentro de vocês: uma boa conversa sobre as preocupações e ansiedades nessa área. Conversem de forma íntima e, depois, discutam soluções. É mais importante e útil que vocês saibam o que um e outro pensam a respeito do que ficarem ouvindo opiniões de terceiros.

Dica de blindagem:

Não adiem a hora de uma conversa mais íntima.

44
Casamento não muda ninguém

- ☐ Preciso praticar
- ☐ Foi bom lembrar
- ☐ Compartilhar com________________

____

Aconselhamos, certa vez, uma adolescente que nos escreveu pedindo orientação. Ela namorava um rapaz dez anos mais velho, e os dois pensavam em se casar. Os pais dela eram contra e viviam apontando os defeitos do jovem. Dissemos a ela que, em geral, os pais, além de serem mais maduros, querem o bem de seus filhos. Quando eles falam com a autoridade do exemplo e da experiência própria, merecem toda a atenção. Nesse caso, os pais realmente apontavam comportamentos preocupantes no rapaz, mas a garota estava certa de que ele "iria mudar" depois de eles se casarem.

Uma dica para quem está planejando se unir definitivamente a alguém: o casamento não muda a pessoa. Os defeitos exibidos agora não desaparecerão depois da cerimônia. É provável até que se acentuem, por causa do comodismo natural do ser humano. Portanto, os olhos devem estar bem abertos no presente para saber o que esperar no futuro — ou talvez até decidir que a pessoa com quem se convive hoje não é aquela com quem se quer estar amanhã.

Dica de blindagem:

Olhos abertos: o futuro se mostra hoje.

45
Se afastando emocionalmente

- ☐ Preciso praticar
- ☐ Foi bom lembrar
- ☐ Compartilhar com________________

Existe algo que leva muitos casais a se afastarem com o passar do tempo: deixar de compartilhar. Não compartilham o que aconteceu durante o dia, os planos, as coisas engraçadas que viram ou ouviram quando não estavam juntos. Não dividem mais as opiniões, os interesses, enfim, se esquecem de praticar uma das coisas mais gostosas de um relacionamento. E assim, sem perceber, eles vão se afastando emocionalmente. Começam a viver histórias paralelas, cada um buscando seus próprios objetivos e cuidando da própria vida.

Isso tudo cria uma lacuna dentro do relacionamento. Com isso, é natural que coisas indesejáveis comecem a preencher essa brecha: outras amizades, a internet, os filhos e até mesmo um amante, que passa a ser mais interessante que o próprio parceiro. Por isso, não permita que esse vazio se instale no seu relacionamento. Cultivem o hábito de compartilhar tudo um com o outro e também de demonstrar interesse pelo que se passa na vida do cônjuge.

DICA DE BLINDAGEM:

Compartilhar deve fazer parte do seu dia a dia!

46

QUANDO ACABA O ENCANTO

- ☐ Preciso praticar
- ☐ Foi bom lembrar
- ☐ Compartilhar com ________________

Não é exagero afirmar que é a busca da felicidade que leva duas pessoas a se casarem. Os momentos bons lá do início despertaram em vocês esse desejo comum a todo ser humano. Assim, vocês logo imaginaram um futuro feliz. Só que casamento não é feito só de bons momentos, e os tempos ruins chegaram. Talvez um dos dois tenha começado a pensar que o sonho acabou, que a felicidade não é mais possível e que a separação é a melhor saída.

Imaginem se alguém fizesse o mesmo no trabalho. Se toda vez que aparecesse um problema na empresa, a pessoa desistisse do emprego ou do negócio, ou se toda vez que uma dor ou doença aparecesse, a pessoa mandasse amputar a parte do corpo afetada. Para termos sucesso na vida, temos de aprender a resolver problemas — e não é diferente no casamento. Usem toda a inteligência e determinação e lutem por seu amor. Mantenham o objetivo inicial: ser feliz com o parceiro.

Dica de blindagem:

Desistir é a primeira opção dos fracos. Juntos vocês podem!

47
DIFICULDADE DE PERDOAR

☐ Preciso praticar

☐ Foi bom lembrar

☐ Compartilhar com______________________

____

Talvez um de vocês tenha tido a infelicidade de magoar o cônjuge, e até hoje ele não conseguiu perdoar. Já houve pedido de perdão, já houve explicação, mas parece que a outra pessoa não consegue deixar o passado. A má notícia é que não há muito que o parceiro que praticou a ofensa possa fazer para que o outro o perdoe, além, é claro, de pedir desculpas e demonstrar arrependimento. Perdão é uma decisão pessoal. A boa notícia, porém, é que é possível ajudar a pessoa ofendida a chegar a essa decisão.

Não repetir o erro e mudar o comportamento são atitudes óbvias. Mas a pessoa ferida precisa também que o outro entenda quanto a magoou. Quem fez o que não devia pode expressar empatia, demonstrar compreensão e dar um tempo ao cônjuge. O tempo para conceder o perdão varia de pessoa para pessoa. Respeitem a ferida do parceiro, deem tempo e procurem não piorar a situação.

Dica de blindagem:

O perdão pode ser muito difícil. O melhor é nunca magoar a pessoa amada.

48
Necessidades básicas

☐ Preciso praticar

☐ Foi bom lembrar

☐ Compartilhar com____________________

____

Depois de uma enchente, um terremoto ou algum outro desastre natural, a vida normal dá lugar ao desespero pela sobrevivência. As pessoas se mostram totalmente egoístas e tornam-se capazes de fazer o que nunca fizeram antes, como roubar e ser violentas. Na verdade, o ser humano é capaz de qualquer coisa quando suas necessidades mais básicas não estão supridas.

Também no casamento é possível verificar essa realidade. O marido e a esposa têm necessidades básicas que devem ser supridas mutuamente. Se um dos cônjuges não se dá conta disso, o parceiro poderá reagir de forma totalmente irracional. A necessidade mais básica da esposa é "se sentir valorizada e amada" e a do marido é "ser respeitado". Quando o casal entende as necessidades básicas um do outro e trabalha no sentido de supri-las, muitos dos problemas que afetam o relacionamento e que parecem sem solução vão desaparecer.

Dica de blindagem:

Preencham as necessidades básicas um do outro e mantenham os desastres longe do casamento.

49
DO QUE OS NOIVOS MAIS PRECISAM

- ☐ Preciso praticar
- ☐ Foi bom lembrar
- ☐ Compartilhar com ____________________

____

Muitos sonham com o dia do casamento e querem que ele seja de fato inesquecível. O vestido, a igreja, a festa, a limusine, a decoração, a lua de mel... A indústria do casamento não para de crescer. Infelizmente, os índices de divórcio também não. Por favor, não entendam isso como uma ducha de água fria. Se vocês puderem e quiserem fazer a maior festa da história, vão em frente. Estamos apenas chamando a sua atenção para o que realmente pode garantir um casamento feliz.

Podem acreditar: não é o tamanho da festa, nem a cerimônia, nem as lindas fotos e o vídeo. O que os noivos mais precisam é de habilidades de relacionamento. Mesmo os casamentos "feitos no céu" passam por raios e trovoadas! Se vocês não souberem como lidar com as dificuldades que virão, poderão acabar sozinhos e na chuva... Previnam-se. Invistam na reeducação sentimental. Entendam que não basta amar — é preciso saber se relacionar.

DICA DE BLINDAGEM:

Desenvolvam habilidades que garantam o bom relacionamento.

50
ORÇAMENTO FAMILIAR

- ☐ Preciso praticar
- ☐ Foi bom lembrar
- ☐ Compartilhar com ____________________

____

O casamento é como uma empresa, e nenhuma empresa funciona bem sem um orçamento. Orçar é calcular as receitas e despesas para saber quanto haverá de saldo disponível e assim tomar decisões inteligentes. Na empresa "casamento" essa deveria ser uma prática comum. Todo casal deve fazer um orçamento familiar não só para gerir bem o dinheiro, mas também para evitar discórdias e discussões que acontecem quando os dois não estão seguindo o mesmo caminho nas finanças.

Quando não existe a preocupação com o orçamento, é comum que surjam as briguinhas sobre dinheiro que tanto estressam o casal: "Você não devia ter comprado isso..." "Então eu compro com o meu dinheiro!", e coisas do tipo. Fazer um orçamento familiar não é um bicho de sete cabeças. Na página *casamentoblindado.com/dinheiro*, vocês podem aprender mais sobre o assunto e até baixar uma planilha financeira para ajudá-los.

Dica de blindagem:

Não deixe a empresa do seu casamento falir por falta de orçamento.

51
VIA DE MÃO DUPLA

☐ Preciso praticar

☐ Foi bom lembrar

☐ Compartilhar com ______________

____

A palavra "comunicação" vem da mesma palavra no latim que também significa "dividir, compartilhar". Isso quer dizer que para haver comunicação de verdade é preciso que haja divisão, interação. Esse entendimento é fundamental para que o diálogo no casamento seja bem-sucedido. Os casais devem ter em mente que a comunicação não pode ser uma via de mão única — é preciso falar, mas também ouvir.

Muitos casais erram quando discutem a relação porque, em vez de ouvir o parceiro, ficam se defendendo e tentando se explicar. Com isso, a comunicação não acontece, porque o interesse não está no que o outro diz, mas sim em falar, falar, falar... Ouvir é a parte mais importante da comunicação dentro do casamento, pois só quando um parceiro ouve o que o outro tem a dizer é que os dois podem chegar juntos a uma solução coerente para qualquer problema que estejam enfrentando.

Dica de blindagem:

Ouvir é mais importante que falar.

52
ATENÇÃO NÃO SE IMPLORA

- ☐ Preciso praticar
- ☐ Foi bom lembrar
- ☐ Compartilhar com ____________________

____

Todo mundo gosta de atenção. É natural que qualquer um deseje se sentir querido, especial, principalmente pela pessoa amada. Isso é quase uma necessidade básica do ser humano. Mas existe aí um paradoxo que requer cautela. Em geral, quanto mais buscamos atenção, menos recebemos. Isso acontece com muita frequência no casamento. Quando um dos cônjuges fica mendigando a atenção do outro, seu valor parece diminuir. Essa atitude produz o efeito inverso ao desejado, e o outro cônjuge acaba se cansando.

É como aquela vendedora insistente, que quer que o cliente compre tudo da loja. A reação normal é que ele não queira voltar mais ali. Às vezes, é preciso se controlar para não demonstrar demais a carência. Sejam equilibrados. Não exagerem fazendo coisas somente para chamar a atenção do parceiro. Ele precisa ter a oportunidade de respirar e até mesmo de sentir um pouco de saudade.

Dica de blindagem:

A melhor maneira de receber atenção é nunca mendigar por ela.

53
Primeiro o parceiro, depois os parentes

☐ Preciso praticar

☐ Foi bom lembrar

☐ Compartilhar com ________________

____

Quando nos casamos, o pai da Cristiane disse a ela: "Minha filha, a partir de agora não tem mais papai e mamãe. É só você e o Renato." Esse conselho foi muito útil e nos ajudou a formar a nossa própria família, sem interferência dos parentes. Por mais apegados que vocês sejam aos familiares, tenham em mente que, depois do casamento, o cônjuge vem sempre em primeiro lugar.

Se um de vocês tiver a sensação de que a mãe, o pai, algum outro parente ou até os filhos ocupam uma posição superior à sua, isso poderá gerar conflitos no casamento. Os parentes de ambos devem ser bem-tratados, mas a relação do casal é prioritária e não pode haver dúvida sobre isso. Vocês são uma nova família. Se houver qualquer reclamação de que um de vocês dá atenção demasiada aos parentes ou amigos, então é hora de reavaliar as prioridades.

Dica de blindagem:

Seu parceiro deve se sentir sempre o primeiro na sua vida.

54
Mais que um pedaço de papel

☐ Preciso praticar

☐ Foi bom lembrar

☐ Compartilhar com________________

____

Muitas pessoas, quando confrontadas com a decisão de entrar em um relacionamento mais sério, dão a seguinte desculpa: "Pra que casar? Um pedaço de papel não vai fazer nenhuma diferença. Se a gente se ama, vamos só morar juntos." Nós temos uma ótima resposta para essa desculpa: "Se é só um pedaço de papel mesmo, então por que você não assina?" A verdade é que todos sabem que casamento não é só um pedaço de papel. É um compromisso mais sério do que muitos gostariam de admitir.

Pesquisas mostram que quando o casal apenas vai morar junto, as chances de separação e fim do relacionamento são bem maiores. Faz sentido, não faz? Fácil de entrar, fácil de sair! Casamento não é só um pedaço de papel. É uma aliança, um compromisso de vida entre duas pessoas que empenham a palavra uma com a outra. E palavra que não se escreve pode voltar atrás com facilidade.

Dica de blindagem:

Se é importante, assinem embaixo!

55
Cancelando a dívida

☐ Preciso praticar

☐ Foi bom lembrar

☐ Compartilhar com ____________________

____

Para permanecer casado, há uma coisa que o casal tem de aprender a praticar: o perdão. Perdoar significa cancelar a dívida da outra pessoa. Isso quer dizer que quando alguém reconhece que o outro errou e não tem como voltar atrás, decide que a melhor coisa a fazer é deixar pra lá. Obviamente, quem ofendeu tem de mudar, a fim de que o relacionamento seja reparado e volte às boas. Isso não se discute.

Mas é preciso dar mais um passo. Para proteger o coração contra mágoas, a pessoa ofendida também precisa conceder o perdão. Na verdade, perdoar sai mais barato que guardar mágoa e, além disso, ajuda o relacionamento a não ficar pesado e mais difícil com o passar do tempo. Se um de vocês tem guardado mágoa contra seu cônjuge, experimente perdoar hoje mesmo. Se achar que não consegue, peça ajuda a Deus e Ele vai atender seu pedido. Afinal, o perdão é um dom divino.

DICA DE BLINDAGEM:

Sai mais barato perdoar que guardar mágoa.

56
A EXPECTATIVA DA PERFEIÇÃO

- ☐ Preciso praticar
- ☐ Foi bom lembrar
- ☐ Compartilhar com ______________________

____

Assim que a relação conjugal tem início, o marido logo percebe que sua esposa não é perfeita. Em contrapartida, a mulher chega à mesma conclusão em relação ao parceiro, quase que simultaneamente. Que ninguém é perfeito todo mundo sabe, mas às vezes parece que nos esquecemos disso quando se trata do casamento. Esperamos que nosso parceiro seja exatamente como queremos e que cumpra todas as nossas expectativas.

Sem dúvida, isso é receita para muita frustração, já que ninguém é feito sob medida, segundo os nossos ideais. Por isso, lembrem-se: o casal é formado por uma pessoa imperfeita que ama a outra, apesar das imperfeições desta. Em vez de implicar com a toalha molhada que ele deixa sobre a cama ou com os gostos curiosos dela, concentrem-se no que um e outro têm de bom. Aprendam a relevar as coisas que são chatas, mas não muito importantes.

Dica de blindagem:

O casal perfeito é aquele que sabe lidar com as imperfeições.

57
Persona non grata

☐ Preciso praticar

☐ Foi bom lembrar

☐ Compartilhar com_______________

____

É muito comum que exista no casamento alguém que um dos parceiros considere *persona non grata*. Trata-se daquela pessoa que, por algum motivo, um dos dois não quer ver por perto — nem pintada de ouro. Pode ser um ex, uma amiga assanhada, enfim, alguém que perturba o relacionamento conjugal e acaba por gerar brigas e desentendimentos que poderiam ser evitados.

Não se trata de um ciúme bobo, mas o fato é que, por uma boa razão, um de vocês se sente desrespeitado sempre que a tal *persona non grata* aparece. Nesse caso, não vale realmente a pena criar um conflito no casamento por causa de uma terceira pessoa. Excluam-na do círculo de amizades — do real e também do Facebook. O melhor é que vocês se entendam, se respeitem e tomem o partido um do outro sempre. Nunca deixem o parceiro se sentir desrespeitado porque vocês tomaram a dor de outra pessoa.

Dica de blindagem:

Demonstrem respeito pelos sentimentos um do outro.

58

PREVENINDO PROBLEMAS DE CASAMENTO

- ☐ Preciso praticar
- ☐ Foi bom lembrar
- ☐ Compartilhar com____________________

____

Qualquer médico vai nos dizer que prevenir a doença é melhor do que tratá-la. Mesmo assim, muitos só vão ao médico depois de ficarem doentes — nunca antes. Infelizmente, o mesmo acontece em muitos casamentos. É mais fácil prevenir os problemas no relacionamento do que tentar consertá-los depois que se estabelecem. Mas muitos casais esperam a situação chegar a um ponto crítico para só então fazer alguma coisa.

Se o casamento de vocês já está crítico, o melhor a fazer é buscar ajuda. Pode ser que ainda haja tempo de salvá-lo. Mas o ideal é não deixar a crise chegar. Fiquem atentos aos sinais vitais de saúde de seu relacionamento. Como está a comunicação entre vocês? Vocês se evitam ou gostam de ficar juntos? Há desentendimentos em relação ao dinheiro? E a vida íntima, está ativa ou esporádica? Vocês se irritam facilmente um com o outro? Enfim, percebam se a relação está precisando de mais atenção. No site *casamentoblindado.com* é possível encontrar mais orientações, tanto para a cura quanto para a prevenção.

Dica de blindagem:

Fiquem atentos ao menor sinal de problema no casamento.

59
Tentar um pouco mais

- ☐ Preciso praticar
- ☐ Foi bom lembrar
- ☐ Compartilhar com ______________________

____

Um dos maiores arrependimentos de muitos que se divorciam é não ter feito algo mais para salvar o relacionamento enquanto podiam. Só depois que os bens estão divididos, o divórcio assinado, e a guarda dos filhos decidida é que os dois ex-cônjuges pensam: "Eu podia ter tentado um pouco mais."

Esse "um pouco mais" pode incluir buscar ajuda profissional ou procurar informações sobre o que mais pode ser feito para salvar o relacionamento. Às vezes estamos próximos demais dos nossos problemas para enxergar a solução. Por isso, a visão de uma pessoa capacitada, que vê as coisas por outro ângulo, pode lançar luz sobre o que para nós parece nublado. Quando Cristiane e eu começamos a ajudar outros casais, necessariamente procuramos mais conhecimentos sobre os segredos dos casamentos felizes. Isso fez o nosso casamento, que já estava bom, melhorar ainda mais. Nunca se envergonhem de reconhecer que não sabem tudo e que precisam de uma ajuda extra.

Dica de blindagem:

Não tenham medo de procurar ajuda quando necessário.

60
Quando o sangue sobe

- ☐ Preciso praticar
- ☐ Foi bom lembrar
- ☐ Compartilhar com ___________________

____

Por mais que um casal se ame, é comum que em alguns momentos um dos dois sinta tanta raiva do outro que pense até em fazer uma loucura. Nós, que não somos diferentes de outros casais, sabemos bem o que é isso. Sentir raiva é algo comum a todo ser humano quando se sente contrariado.

O problema não é sentir raiva, mas sim o que fazer quando ela vem. Muitos casais erram ao descarregar a raiva em cima do parceiro, e assim vão desgastando a relação. É preciso aprender a gerenciar a raiva, e até mesmo como usá-la para o próprio bem de vocês. Não é tão difícil como parece. Há duas maneiras de gerenciar a raiva: ou você dá um tempo para deixá-la passar, ou a canaliza para outra coisa que não seja seu parceiro. Dê uma volta no quarteirão. Lave o carro. Ore. Qualquer coisa que consuma aquela energia emocional. Daí, com a cabeça fria, atue na situação que provocou a raiva.

Dica de blindagem:

Aprendam a gerenciar a raiva e até a tirar proveito dela.

61
O PROBLEMA ESTÁ MAIS EMBAIXO

- ☐ Preciso praticar
- ☐ Foi bom lembrar
- ☐ Compartilhar com ____________________

____

No trabalho de aconselhamento de casais que desenvolvemos, costumamos ouvir reclamações como "ele não me dá atenção"; "ela é muita ciumenta, pega no meu pé"; "não confio mais nele"; e assim por diante. Quando isso ocorre, sabemos que o verdadeiro problema é mais profundo. Há uma raiz. Trabalhamos então no sentido de identificar essa raiz e mostrar ao casal como cortá-la. Desse modo, eles podem resolver aquele e todos os outros problemas que ela gera no relacionamento.

Se vocês ficam dando voltas e não acham a saída para uma situação incômoda na relação conjugal, provavelmente não estão atingindo a raiz do problema. Para encontrá-la, o casal deve se perguntar: "Por que meu parceiro age assim? Por que eu reajo assim?" Em outras palavras, é preciso buscar a origem do problema, ir o mais fundo possível, para descobrir a verdadeira causa.

Dica de blindagem:

Cortem o mal pela raiz!

62
RITUAIS SAGRADOS

☐ Preciso praticar

☐ Foi bom lembrar

☐ Compartilhar com ____________________

____

Um comportamento comum aos casais bem-sucedidos é que eles mantêm certos rituais de companheirismo e amizade. Por exemplo, sempre se sentam juntos para as refeições, vão para a cama no mesmo horário, separam uma noite da semana só para os dois. Esses são alguns hábitos que Cristiane e eu costumamos cultivar, além de, vez ou outra, relembrar a história de como nos encontramos. Revivemos os detalhes da nossa aproximação, voltamos aos dias em que tudo começou entre nós. Isso renova o nosso relacionamento.

Os casais devem procurar o que funciona melhor para cada um — não existe uma receita pronta. Mas é muito importante que vocês procurem observar alguns "rituais sagrados" que os ajudam a se manter bem próximos um do outro. Pensem em atividades que servem como desculpa para vocês ficarem juntos. Afinal, seu casamento é sagrado, e tudo o que é sagrado precisa de um ritual.

Dica de blindagem:

Desenvolvam rituais que reforcem o companheirismo entre vocês.

63 PARA FUGIR DA ROTINA

- ☐ Preciso praticar
- ☐ Foi bom lembrar
- ☐ Compartilhar com____________________

A rotina é um dos problemas mais comuns e uma das principais razões da infidelidade no relacionamento. Isso acontece quando o casal passa todo o tempo disponível fazendo sempre as mesmas coisas. Entram no piloto automático. No entanto, existe uma boa notícia: é possível evitar a rotina! Para fugir dessa ameaça que ronda muitos casamentos, é preciso que vocês separem um tempo para fazer coisas diferentes. Mas até para quebrar a rotina é preciso planejamento.

Muitos casais se perdem porque estão preocupados com o "aqui e agora" e se esquecem do "amanhã". Para poder aproveitar o amanhã, vocês precisam planejá-lo hoje. Não adianta ficar esperando que as coisas aconteçam por acaso ou que sobre tempo para uma atividade fora da rotina. Lembrem-se: tempo não se tem, tempo se faz.

Dica de blindagem:

A rotina é inimiga do seu relacionamento.

64

OLHANDO PARA O ALTO

☐ Preciso praticar

☐ Foi bom lembrar

☐ Compartilhar com________________

____

Uma das razões que levam alguns casamentos ao fracasso acontece quando um dos parceiros não se valoriza diante do outro. Isso significa aceitar indiferença, maus-tratos, traição e outros tipos de abuso no relacionamento. Quando uma pessoa não se valoriza, acaba aceitando qualquer coisa, e daí o caminho fica aberto para que tudo o que é ruim aconteça na relação conjugal. O verdadeiro amor nunca fere. Por isso, jamais aceitem abusos no seu relacionamento.

Cada cônjuge deve ter a convicção de que ninguém poderá amá-lo mais do que ele ama a si mesmo. É o amor-próprio, o senso de valor como pessoa, que faz com que os outros o respeitem. Se a autoestima de um de vocês está baixa, olhem para o alto. A fé em Deus sempre foi uma ótima maneira de levar o ser humano a descobrir ou resgatar o próprio valor. Quando você descobrir como Deus o vê, nunca mais se verá da mesma forma.

Dica de blindagem:

Somente quem se ama pode amar e ser amado.

65
CADA UM É CADA UM

☐ Preciso praticar

☐ Foi bom lembrar

☐ Compartilhar com ______________________

____

Em praticamente todos os casamentos é comum que um cônjuge diga ao outro: “Se eu fosse você...” “Se eu estivesse no seu lugar...” O problema de falarmos dessa maneira é que, por mais que estejamos bem-intencionados, nunca seremos o outro e nunca estaremos no lugar dele! Quando desejamos transformar o nosso parceiro, querendo que ele seja igual a nós, sem saber estamos cometendo um erro que é a razão de muitos conflitos no casamento. É injusto.

Procurem ter em mente que, quando vocês se conheceram e depois resolveram se casar, isso aconteceu exatamente porque vocês eram diferentes. Por isso, em vez de ficarem tentando mudar um ao outro, procurem conviver com seu parceiro e entendê-lo do jeito que ele é. Isso reduzirá os conflitos e tornará a relação muito mais agradável.

DICA DE BLINDAGEM:

Risquem o “se eu fosse você” dos diálogos.

66

O SEGREDO QUE CORRÓI POR DENTRO

☐ Preciso praticar

☐ Foi bom lembrar

☐ Compartilhar com ______________

____

Quando uma pessoa casada decide esconder do parceiro um segredo sobre algo que compromete o relacionamento dos dois, várias coisas ruins acontecem. O medo de ser descoberta toma conta dessa pessoa, que começa a mentir e, sem perceber, vai se afastando do cônjuge. Pode ser uma traição, um vício sexual, uma luta interior travada diariamente, algo sobre o passado — qualquer coisa que faça um dos dois fingir ser alguém que não é. E aí a verdade passa a ser o maior temor.

Precisamos ter em mente que a verdade não é nossa inimiga, mas, sim, a mentira. Se isso acontecer com um de vocês e nada for feito a respeito, o risco é que vocês percam seu maior bem, que é o casamento. Dependendo da situação, é possível que vocês precisem de ajuda profissional, médica ou simplesmente de uma pessoa de fé. Para compartilhar o seu segredo conosco, de forma confidencial, a fim de receber um conselho, escreva um e-mail para *ajuda@casamentoblindado.com*. Teremos prazer em ajudá-los.

DICA DE BLINDAGEM:

A mentira é a maior inimiga de um casal.

67

A PESSOA MAIS IMPORTANTE PARA ALGUÉM

- ☐ Preciso praticar
- ☐ Foi bom lembrar
- ☐ Compartilhar com ______________________

____

Um dos principais motivos que nos levam a pensar em casamento é o fato de nos sentirmos importantes aos olhos de nosso parceiro. Entretanto, a correria do dia a dia e o passar do tempo podem fazer com que nossa atenção seja totalmente consumida por outras atividades, como o trabalho, a criação dos filhos ou o relacionamento com os amigos. Com isso, nosso cônjuge fica carente de atenção, e qualquer coisinha pode se tornar um grande problema.

No casamento, um parceiro precisa sentir que ainda é a pessoa mais importante na vida do outro, independentemente de quanto tempo passe ou de quais sejam as atividades do casal. Importem-se com a vida um do outro, procurando saber o que acontece, o que traz alegria ou preocupação, enfim, dando a atenção que o parceiro merece. Um casal precisa ter um ao outro como prioridade. Nada de deixar o cônjuge de lado, com o sentimento de que outras coisas ou pessoas são mais importantes que ele.

Dica de blindagem:

Todo mundo gosta de se sentir importante.

68
O DESASTRE DA IMPOSIÇÃO

- ☐ Preciso praticar
- ☐ Foi bom lembrar
- ☐ Compartilhar com ____________________
____

Uma das coisas mais desagradáveis que podem acontecer a uma pessoa é ter de conviver com alguém que vive querendo impor seu jeito e seu modo de pensar o tempo todo. Quando tentam nos dizer como devemos falar ou agir, é como se estivessem nos atacando, afirmando que a nossa maneira de ser é incorreta ou mesmo desagradável.

Infelizmente, esse é um hábito muito comum entre os casais. Um cônjuge, muitas vezes sem perceber, tenta impor o seu jeito de ser ao outro, o que faz com que este se sinta rejeitado. Nada que é imposto é bem-vindo, por isso, jamais devemos pressionar ninguém a mudar. Se um de vocês acha que o parceiro deveria mudar em alguma coisa, experimente pedir, sugerir ou mesmo dar o exemplo. O desejo de mudança deve partir da própria pessoa e jamais ser motivado pela imposição do outro. Cobranças normalmente surtem o efeito contrário.

Dica de blindagem:

Só muda quem quer.

69
Quando reconhecemos o valor?

- ☐ Preciso praticar
- ☐ Foi bom lembrar
- ☐ Compartilhar com______________

"Tem gente que só dá valor quando perde." Essa frase muito conhecida parece ter sido inventada sob encomenda para ser aplicada a certos relacionamentos. Quando chega o divórcio, não é raro que os ex-cônjuges demonstrem arrependimento por não terem valorizado o parceiro adequadamente. A casa vazia e a solidão batendo à porta levam muitos divorciados a tomarem consciência de que fizeram menos do que podiam para preservar a relação.

A verdade é que o casamento pode ser difícil, mas o divórcio é mais ainda. Por isso, é necessário que cada cônjuge valorize o que tem, para não perder. O marido deve apreciar as qualidades de sua mulher e fazer vista grossa para algumas manias dela. A esposa, em vez de reclamar que ele não ajuda em casa, pode se sentir feliz pelo fato de ter alguém por perto que faz um pouco de bagunça.

Dica de blindagem:

Dê valor para não perder!

70
Quando a crise chega

☐ Preciso praticar

☐ Foi bom lembrar

☐ Compartilhar com ________________

Vocês planejaram tudo nos mínimos detalhes: o vestido, a festa, a lua de mel, a nova casa... Entretanto, depois de alguns meses de casados, parece que o conto de fadas virou filme de terror, e coisas ruins que vocês jamais imaginaram começaram a acontecer. Pode ser a descoberta de uma traição ou de um vício, a interferência demasiada dos parentes, o estresse das dívidas ou mesmo uma enfermidade, e, de repente, vocês estão tristes, perguntando a si mesmos onde foi que erraram e por que tudo isso está acontecendo.

Expectativas não cumpridas podem fazer uma situação ruim ficar ainda pior. Por isso é importante que vocês se concentrem no presente e descubram como lidar com a situação atual, em vez de ficarem sonhando com a ideal. Isso significa que talvez as prioridades precisem ser ajustadas. Quem sabe um de vocês está precisando mais do apoio do outro do que de reclamações. Com calma e pensando apenas na solução, vocês conseguirão superar essa fase.

Dica de blindagem:

Uma fase ruim não significa que o sonho virou pesadelo.

71
O PRIMEIRO FILHO

- ☐ Preciso praticar
- ☐ Foi bom lembrar
- ☐ Compartilhar com ____________________

____

Se vocês estão noivos ou são recém-casados, é aconselhável que planejem muito bem a época da chegada dos filhos. Quando o casal tem um bebê logo depois que se casa, essa criança multiplica os desafios da vida a dois. Acontece que os primeiros anos de casados representam um período importante, e às vezes difícil, de adaptação para os cônjuges, e um filho nessa fase pode complicar bastante o relacionamento.

Algumas pessoas parecem tirar isso de letra, mas, de modo geral, é melhor que o casal espere alguns anos até que esteja bem-ajustado para então planejar a chegada do primeiro filho. Isso dará mais tempo para vocês, e também será melhor para a criança, que precisa de um lar estável e feliz para se desenvolver bem. Conversem sobre isso.

Dica de blindagem:

Planejem a chegada do primeiro filho.

72

A importância do toque físico

☐ Preciso praticar

☐ Foi bom lembrar

☐ Compartilhar com ____________________

____

Com o passar dos anos, muitos casais vão deixando a relação esfriar e abandonam o contato físico quase que totalmente. Já não seguram as mãos um do outro, não dão aquele beijinho de despedida, não se abraçam e nem se sentam mais juntinhos no sofá. Aos poucos vão se tornando estranhos e distantes, e não é de surpreender que o amor vá esfriando. Talvez um de vocês venha de uma criação em que isso não era tão importante, ou talvez os problemas já enfrentados no casamento fizeram com que vocês perdessem a vontade de tocar um ao outro.

Mas o toque físico é tão importante que merece toda a atenção e esforço por parte de qualquer casal. Comecem devagar. A mulher pode tocar o ombro do marido quando ele estiver tomando o café. Ele pode abrir a porta e segurar a mão da esposa quando ela estiver saindo do carro. Voltem a dar aquele beijinho no rosto ao chegar e ao sair. Esses pequenos gestos de contato físico aquecem mais sua relação do que o sol do meio-dia.

Dica de blindagem:

Mantenham o calor na relação através do contato físico.

73
Quando a intolerância é bem-vinda

- ☐ Preciso praticar
- ☐ Foi bom lembrar
- ☐ Compartilhar com ______________________

____

Há algum tempo, uma noiva nos escreveu, pois estava preocupada com o temperamento explosivo do seu noivo. Contou que quando eles se desentendem, ele explode, reage com muita grosseria e não mede palavras para feri-la. Ela teme que isso piore depois do casamento. Tivemos de dizer a ela que, infelizmente, esse comportamento provavelmente vai piorar depois de se casarem. A única maneira de mudar isso é não tolerar mais o abuso.

O erro de muitas pessoas é ser tolerante com coisas inaceitáveis no relacionamento. É como se elas estivessem treinando o outro a continuar o mau comportamento, mostrando que, não importa o que aconteça, elas sempre estarão lá para perdoar e seguir em frente. Às vezes precisamos ser firmes naquilo que acreditamos e que temos como valores e afirmar o nosso respeito próprio para que os outros também nos respeitem. Ninguém deve aceitar tudo só porque tem medo de perder a outra pessoa. Lembrem-se: o verdadeiro amor nunca fere. O parceiro que realmente ama o outro entenderá o limite definitivo ao abuso e mudará as suas atitudes.

Dica de blindagem:

Tolerância zero com o mau comportamento.

74
Ponto de equilíbrio

☐ Preciso praticar

☐ Foi bom lembrar

☐ Compartilhar com________________
____

Quando o assunto é trabalho, não é exagero afirmar que o mundo está dividido em dois grupos de pessoas: aquelas que vivem para trabalhar e aquelas que trabalham para viver. Como costuma acontecer nos relacionamentos, é possível que vocês tenham se casado com alguém que é o seu exato oposto. No começo, vocês até se admiravam. Mas, depois, a obsessão do marido com o trabalho ou a mania que a esposa tem de não ir para a cama até que a última peça de louça esteja guardada passam a ser motivo de irritação. Pode ser também que ocorra o contrário: a maneira descansada de um dos cônjuges deixa o outro louco da vida.

A boa notícia é que vocês são absolutamente normais — apenas bem diferentes um do outro. Mas é crucial para a sobrevivência do seu relacionamento que vocês encontrem um ponto de equilíbrio. Passem mais tempo juntos e não permitam que o trabalho e as diferenças virem motivo de críticas. Que essas diferenças sejam o que eram no início: motivo de admiração!

DICA DE BLINDAGEM:

Cultivem a admiração pelas diferenças.

75
Pensamentos de traição

- ☐ Preciso praticar
- ☐ Foi bom lembrar
- ☐ Compartilhar com ______________________

____

Um pensamento que de vez em quando passa pela cabeça de toda pessoa casada é o de como seria sua vida se tivesse escolhido outro parceiro para se casar. A mulher imagina que determinado homem seria mais carinhoso que seu marido. O homem fantasia que aquela colega de trabalho seria mais agradável que sua esposa... E assim, quando menos se espera, nasce a ideia de traição.

Quem trai, na verdade, é vítima da própria fraqueza, tanto de caráter, quanto emocional. Além disso, o preço de uma traição é alto demais pelo pequeno e curto momento de escape que ela proporciona. Por isso, quem parar para pensar vai chegar à conclusão de que a traição não vale a pena. Mas, se esses pensamentos têm sido constantes, eles servem como um sinal de que o casamento está precisando de atenção. Certamente é hora de blindá-lo. Procurem o ponto fraco que tem afastado vocês e lidem com ele imediatamente.

Dica de blindagem:

Nenhuma traição vale a pena.

76
Luta contra o vício

☐ Preciso praticar

☐ Foi bom lembrar

☐ Compartilhar com ______________________

____

O casamento, entre outras coisas, é um acordo de proteção entre duas pessoas. O momento do "sim" é como se os noivos dissessem um ao outro: "Eu cuido de você, e você cuida de mim." Por isso, quando um dos parceiros se encontra incapacitado de cuidar de si mesmo, o outro tem a obrigação de assumir esse cuidado.

Isso vale para casos de doença, por exemplo. Da mesma forma, se um dos dois se torna viciado em alguma droga, o parceiro deve buscar ajuda para resgatar o companheiro daquela situação. O viciado precisa não só da atitude firme de familiares, mas, em alguns casos, também de ajuda profissional e até espiritual. Como o vício enfraquece a mente da pessoa, é hora do cônjuge assumir as rédeas do problema. Amar também é cuidar e proteger. Não aceitem que um vício destrua o seu casamento. E, se um de vocês tem um vício, é hora de demonstrar amor buscando ajuda para vencê-lo.

Dica de blindagem:

Em vez de deixar um vício separá-los, unam-se contra ele.

77
Vivendo e deixando viver

☐ Preciso praticar

☐ Foi bom lembrar

☐ Compartilhar com ________________

Hoje em dia, faz parte do discurso politicamente correto ter tolerância com nossos semelhantes, mesmo que nem sempre concordemos com eles. Se há uma circunstância em que temos de colocar isso em prática é no relacionamento. Muitos casais vivem se criticando mutuamente, implicando com a maneira de ser do outro, desvalorizando o gosto do parceiro.

Dessa forma, numa espécie de bola de neve, os parceiros vão se sufocando, deixam de viver a própria vida, não enxergam os próprios erros e tornam-se intolerantes. Essa é a receita mais fácil para a infelicidade na vida. Em vez de agirem dessa maneira, tentem praticar a frase "viva e deixe viver". Ele gosta do futebol? Não está fazendo nada errado? Deixe-o assistir ao futebol. Ela gosta de fazer trabalhos voluntários, de conversar com as amigas pelo telefone? Se não prejudica, não atrapalha, qual é o problema? Cuidado com as implicâncias.

Dica de blindagem:

É simples, mas funciona: viva e deixe viver!

78
Tom de voz

- ☐ Preciso praticar
- ☐ Foi bom lembrar
- ☐ Compartilhar com ____________________

Em nosso trabalho de aconselhamento de casais, mais cedo ou mais tarde durante a conversa, o marido ou a mulher sempre acaba dizendo: "Mas olha só o jeito como você fala comigo!" É muito comum que, numa relação estressada por vários problemas, a tensão se expresse até mesmo na maneira como um cônjuge fala com o outro. Muitas vezes não é nem o que se fala, mas como se fala.

Procurem perceber se o tom de voz de vocês não está transmitindo raiva, mágoa ou outro sentimento ruim ao parceiro. O tom de voz é tão importante quanto as palavras, e também funciona como uma música: se for suave, acalma; se for agressivo, provoca agitação em quem ouve. Se um dos parceiros costuma reagir mal à maneira como o outro fala, este deve avaliar como tem falado e procurar demonstrar mais respeito e educação.

Dica de blindagem:

Não se esqueçam: o tom de voz determina o rumo da conversa.

79
Como agir diante da traição

☐ Preciso praticar

☐ Foi bom lembrar

☐ Compartilhar com ____________________

____

Quem está passando pela dor da traição deve prestar atenção às cinco orientações a seguir:

1. Não tome nenhuma decisão drástica logo após descobrir uma traição. Suas emoções estão à flor da pele e poderão fazer com que você tome atitudes das quais se arrependerá.

2. Depois de se recuperar do choque emocional, avalie racionalmente tudo o que aconteceu. Quais as circunstâncias que contribuíram para a traição? O que pode ser aprendido do episódio?

3. Decida se vai dar uma chance ao seu parceiro ou se vai se separar, mesmo que temporariamente, até que novas condições sejam cumpridas. Uma decisão difícil, mas crucial. Pese bem a situação e se necessário busque um conselho imparcial de alguém que você respeite.

4. Se decidir recomeçar, não deixe dúvidas sobre as condições. Atitudes e comportamentos terão de mudar, possivelmente de ambas as partes.

5. Recomeçar é opcional, mas perdoar é incondicional. Você precisa encontrar forças para perdoar, para que não fique refém do que aconteceu.

Dica de blindagem:

Não é fácil lidar com a traição, mas seguindo esses passos é possível superá-la.

80
Promessas não cumpridas

- ☐ Preciso praticar
- ☐ Foi bom lembrar
- ☐ Compartilhar com______________________

____

Seria muito bom que todos nós tivéssemos consciência de que somos capazes de destruir nosso relacionamento com nossas próprias mãos. Isso acontece quando sabemos o que devemos fazer, mas na hora da raiva fazemos o contrário. Muitas pessoas vivem num ciclo de ferir o parceiro, sentir remorso, pedir perdão e depois feri-lo de novo. E o pior é que pessoas que agem assim não conseguem enxergar seus próprios erros, culpando sempre o parceiro pelos problemas do relacionamento.

Por isso é necessário fazer uma autoavaliação e reconhecer os próprios erros e falhas. Talvez um dos parceiros não queira mais investir na relação porque acredita que o outro vai fazer tudo de novo. Está na hora de vocês tomarem a decisão de se tornarem pessoas melhores. Cada um dos cônjuges, individualmente, deve deixar de prestar atenção nos erros do outro e concentrar-se nos seus, precisa trabalhar para vencer a si mesmo. Tenham paciência, pois toda mudança leva tempo. Se falhar uma vez, comecem de novo. Não desistam até que a mudança seja realidade.

Dica de blindagem:

Resgate a confiança de seu parceiro mudando suas atitudes, não apenas prometendo mudanças.

81
A CHANCE DA RECONQUISTA

- ☐ Preciso praticar
- ☐ Foi bom lembrar
- ☐ Compartilhar com ________________

Um dos sinais de que o casamento chegou a um ponto em que um dos parceiros não sabe mais se é possível recuperá-lo acontece quando um quer, mas o outro está frio, irredutível, e parece até já ter optado pela separação. Nada do que o outro diz tem importância. Se a relação de vocês estiver passando por essa fase, pode ser que ainda haja uma chance. A pergunta que cada um deve se fazer é: "Eu quero essa pessoa de volta? Estou disposto a fazer os ajustes necessários em mim para reconquistá-la?"

Uma pessoa não tem controle sobre o que o parceiro irá fazer. Mas, se estiver disposta a evitar a separação, o parceiro precisa saber disso. Em situações em que a separação parece ser a única saída, o provável é que um cônjuge esteja pensando que o outro nunca irá mudar. Mas, se um dos dois reconhecer que realmente precisa melhorar como pessoa e estiver comprometido a mudar, deve então comunicar sua decisão ao parceiro. Essa é uma chance que não deve ser desperdiçada.

Dica de blindagem:

Decidam o quê e como mudar. E façam!

82

O CORDÃO QUE UNE AS PÉROLAS

- ☐ Preciso praticar
- ☐ Foi bom lembrar
- ☐ Compartilhar com ______________________

____

Todo mundo já viu ou conhece aquele casal de idosos que está junto há muitas décadas, os dois enrugados pela vida e pelo tempo. Em geral, a figura desse casal gera em nós perguntas do tipo: O que os uniu por tantos anos? Será que o casamento deles foi só de romance? Será que ainda estão juntos por causa do sexo? Ou porque nunca tiveram problemas financeiros?

No entanto, é possível afirmar com certeza que eles já enfrentaram muitos problemas; que o sexo já não é tão importante para eles hoje como quando tinham seus vinte ou trinta anos; e que as décadas de casados não foram só de momentos românticos.

O que os une hoje, o que resistiu ao teste do tempo e de todas as dificuldades que passaram juntos é a amizade. Esse sentimento é o cordão que une todas as pérolas do casamento. Por isso, se a amizade entre vocês estiver acima das necessidades materiais, dos prazeres passageiros, da beleza física e dos probleminhas do dia a dia, vocês também chegarão lá.

Dica de blindagem:

Sejam os melhores amigos!

83
Separação temporária

☐ Preciso praticar

☐ Foi bom lembrar

☐ Compartilhar com ________________

____

Às vezes a separação temporária do casal não apenas é inevitável, mas até necessária. Isso acontece, por exemplo, em casos de abuso ou de outros comportamentos persistentes que ferem um dos dois. Mas, se a atitude for correta, a separação pode tornar o relacionamento melhor e mais forte depois. Para que isso ocorra, é preciso que se estabeleçam condições para continuar o relacionamento. Essas condições têm de ser bem específicas, e o cônjuge que errou terá de cumpri-las com atitudes antes de vocês retomarem o casamento. Não basta apenas prometer mudar.

É importante lembrar ainda que provavelmente o outro cônjuge também precisará mudar em certas coisas. Isso significa que terá de colocar as condições para si mesmo também, a fim de que os dois mudem juntos e se tornem pessoas melhores. Trata-se de um trabalho em equipe. O que não pode acontecer é o casal se separar e depois voltar sem haver nenhuma condição ou prova de mudança. Quando isso acontece, o normal é os dois perderem a fé no relacionamento.

DICA DE BLINDAGEM:

Aproveitem a separação para impor condições. E sejam firme nelas.

84
Comunicação em pequenos gestos

- ☐ Preciso praticar
- ☐ Foi bom lembrar
- ☐ Compartilhar com ____________________

____

A melhor comunicação é dar. Dar um abraço, um sorriso, um cartão, um obrigado etc. sempre comunica coisas boas. No casamento, muitos casais se estressam porque não conseguem dialogar e se entender. Erram por achar que a comunicação só acontece com palavras. Isso não é verdade. Especialistas já pesquisaram e afirmam que menos de 10% da comunicação entre as pessoas é feita com palavras. Ou seja, mais de 90% do que comunicamos depende do que fazemos, não do que falamos.

Se vocês não estão conseguindo dialogar um com o outro, atenção. Pensem em gestos, atitudes e coisas que vocês podem fazer pelo parceiro, que comuniquem sem palavras o que vocês querem dizer. Atos de gentileza já há muito esquecidos, pequenas coisas que agradam e revelam apreciação, demonstração de respeito — tudo isso fala muito, e chega aonde as palavras muitas vezes não alcançam. Façam isso de maneira consistente e verão um resultado positivo.

Dica de blindagem:

Dar é a melhor comunicação.

85
ATRAÇÃO COMEÇA NA MENTE

☐ Preciso praticar

☐ Foi bom lembrar

☐ Compartilhar com ____________________

____

Certa vez, uma mulher entrou em contato conosco e revelou que havia perdido toda a atração pelo marido. Ela temia não conseguir resistir caso algum outro homem lhe desse o mínimo de atenção. Essa esposa queria saber o que fazer para se sentir atraída pelo marido novamente.

Ninguém se sente atraído por alguém que ignore ou em quem não preste atenção. Isso porque a atração acontece na mente, mais do que no corpo. Assim, em primeiro lugar, um cônjuge tem de ter a atenção voltada para o outro.

Para voltar a sentir a atração, que atualmente anda em baixa, um parceiro deve procurar se envolver na vida do outro, prestar atenção ao que ele faz, ao do que gosta, lembrar-se das qualidades que eram atraentes no início, admirar o positivo e fazer um elogio de vez em quando. É claro que a outra pessoa também precisa se tornar atraente. Mas cada um deve fazer o que está ao seu alcance, sem esperar pelo outro.

Dica de blindagem:

Resgate a atração perdida voltando-se para seu parceiro.

86
Mudar para voltar

- ☐ Preciso praticar
- ☐ Foi bom lembrar
- ☐ Compartilhar com ______________________

____

Há um tipo de história que acontece com frequência em alguns casamentos. Ela ocorre quando um dos cônjuges magoa demais o outro repetidamente, e, depois de anos perdoando, o ofendido resolve dar um basta na situação. É só aí que o cônjuge ofensor acorda e vê a grande tolice que cometeu. Não é raro que, então, ele tente salvar o casamento.

Se o casamento de vocês se encontra nesse ponto, talvez não haja mais nada a fazer, mas, se ainda há um mínimo de chance, o ofensor deve responder a estas duas perguntas muito importantes:

1. Que tipo de marido (ou esposa) seu parceiro gostaria que você fosse para aceitar uma volta?

2. Você pode e quer se tornar essa pessoa?

Se a resposta for sim, então todas as suas forças agora têm de se concentrar em mudar e se tornar essa pessoa. Em vez de ficar implorando uma chance e dizer que está arrependido, canalize todas as suas energias nessa direção.

Dica de blindagem:

A mudança é a melhor chance de uma nova vida.

87

O PRESENTE DA EXCLUSIVIDADE

☐ Preciso praticar

☐ Foi bom lembrar

☐ Compartilhar com_______________

____

Quando uma pessoa casada encontra-se no meio de uma multidão, para a maioria ela pode ser só mais uma pessoa, mas, para o seu cônjuge, ela é aquela que de longe se destaca. O marido vê na mulher aquela a quem sempre dá prioridade. Ela é exclusiva e única para ele, assim como ele é para ela. Esse é um dos presentes mais bonitos do casamento. Num mundo tão egoísta e tão passageiro, ainda podemos ter alguém que serve como testemunha de que existimos um dia.

Todo mundo quer exclusividade, quer se sentir importante, mas muitos pensam que isso só se consegue com poder, dinheiro ou fama. E, quando descobrem que não é esse o caminho, normalmente é tarde demais. Não perca seu tempo conquistando tanto para um futuro solitário, em que sua única exclusividade será seu próprio túmulo. Casamento é investir em um futuro ao lado da pessoa que você escolheu para tornar especial e a quem decidiu se entregar exclusivamente.

Dica de blindagem:

Seu parceiro é único no mundo!

88
Da admiração à crítica

☐ Preciso praticar

☐ Foi bom lembrar

☐ Compartilhar com ______________________

____

Muitos casamentos fracassam quando os cônjuges deixam de ser fãs e se tornam críticos um do outro. No começo do relacionamento, os dois só tinham olhos para as qualidades: "Você é muito linda", dizia ele. Ela revelava: "Você não me ligou, já estava com saudades". E não deixava dúvidas: "Ah, que pena que você tem que ir embora, gosto tanto de ficar com você." O amor cresce a cada elogio e prova de admiração, e ambos se sentem especiais.

Mas o tempo passa, vêm os problemas, as irritações... Sem perceber, um se torna o crítico número um do outro. Ele reclama: "Você fala demais!" Ela acusa: "Você é um grosso!" Ele ataca: "Você só sabe gastar!" Ela rebate: "E você, que não faz nada aqui em casa?" Sejamos honestos: Dá para amar alguém que só nos critica o tempo todo? Dá vontade de ficar perto? Quando o casamento chega a esse ponto, o casal precisa encontrar o caminho de volta ao começo. Se vocês não querem que o relacionamento termine, voltem a tratar um ao outro como no início.

Dica de blindagem:

Deixem de ser críticos, voltem a ser fãs um do outro.

89

O DIREITO DE FICAR CALADO

- ☐ Preciso praticar
- ☐ Foi bom lembrar
- ☐ Compartilhar com ____________________

____

Para que não haja arrependimento depois de uma briga, os cônjuges devem aprender a manter a boca fechada. Se no calor do momento a raiva é excessiva e o desejo de dar o troco é muito forte, o melhor a fazer é ficar em silêncio. Nem tudo o que vocês sentem ou pensam precisa ser dito ao seu parceiro. E nada do que é dito pode ser apagado. Por isso, se em determinado momento os pensamentos ou os sentimentos não são bons, usem o direito que cada um tem de ficar calado.

Respirem fundo. Façam uma pausa para acalmar os ânimos. Durmam sobre aquilo, se for o caso, e retomem o assunto com mais calma no dia seguinte. Às vezes essa é a coisa mais inteligente a se fazer. Pode ser difícil, mas não é impossível. Do mesmo modo, se um dos dois perceber que o outro está chegando a esse ponto, interrompam a provocação. Sejam sensíveis aos limites emocionais um do outro.

Dica de blindagem:

Cuidado: uma palavra pode construir ou destruir seu casamento.

90

Fazer em vez de sentir

☐ Preciso praticar

☐ Foi bom lembrar

☐ Compartilhar com ____________________

____

Existe um segredo para resolver dificuldades no relacionamento. A solução de qualquer problema por qual vocês estiverem passando está no que vão fazer a respeito, e não no que sentem. A emoção é a ferramenta errada para resolver problemas. Por isso, não adianta sentir raiva, tristeza, apontar o dedo, reclamar, chorar, gritar, acusar, culpar e ficar dando voltas enquanto o problema permanece ali, esperando ser resolvido.

Sempre que se vê diante de uma situação complicada, um casal blindado rapidamente muda o foco do que *sente* a respeito para o que vai *fazer* a respeito. E aí está o segredo.

Perguntem sempre a si mesmos: "O que vamos fazer sobre isso?" "Quais as atitudes práticas que tomaremos em busca da solução?" Seja qual for o problema — desde uma traição até uma divergência sobre a criação dos filhos ou o uso do dinheiro —, é o que vocês vão *fazer* a respeito que importa. O resto é só chateação e perda de tempo.

Dica de blindagem:

Não percam tempo com emoções que não levam a nada. Façam alguma coisa!

91
Pedido de desculpas

- ☐ Preciso praticar
- ☐ Foi bom lembrar
- ☐ Compartilhar com ______________________

____

Os cérebros feminino e masculino são bem distintos, e, por isso, homens e mulheres se comunicam de maneiras bem diferentes. Uma situação em que esse fato costuma gerar problemas é na hora de pedir e aceitar desculpas. O homem costuma pensar de forma linear e separar bem as coisas. Consegue isolar o erro cometido de todo o resto, pedir perdão e olhar para a frente, dando o caso por resolvido. Já a mulher, quando é ferida ou fica chateada por algo que o marido fez, não consegue simplesmente esquecer e só pensar no futuro. Ela relaciona muitas coisas àquele incidente — sentimentos, lembranças e dúvidas.

Por isso, se o marido errou, deve compreender que levará algum tempo para que a esposa se recupere. Nesse período, ele deve demonstrar arrependimento e empatia com a situação dela. A mulher, por sua vez, não deve exagerar ao curtir sua dor. Chega um ponto em que ela precisa ser prática, aprender as lições e seguir em frente.

DICA DE BLINDAGEM:

Lembrem-se: um não pensa como o outro.

92
Pornografia: tiro pela culatra

☐ Preciso praticar

☐ Foi bom lembrar

☐ Compartilhar com ____________________

____

Um estudo feito pela Universidade de Cambridge, na Inglaterra, descobriu que o vício em pornografia é semelhante ao alcoolismo. A dependência cada vez maior de se expor a imagens de sexo explícito para alcançar o prazer tem arruinado a vida de muitos casais. Ao contrário do que muitos dizem, o efeito da pornografia no homem tem sido a redução no desempenho sexual quando chega o momento da intimidade com sua mulher. Isso acontece porque a mulher real passa a não ser tão excitante quanto a virtual.

As implicações são óbvias e sérias. Em vez de apimentar a relação, a pornografia tem sido um verdadeiro balde de água fria sobre muitos relacionamentos. O mínimo que um casal pode fazer é se informar e tirar suas próprias conclusões. Na palestra "Sexo em um casamento blindado", abordamos a pornografia, a masturbação e outros pontos importantes relacionados à vida íntima do casal. O DVD pode ser adquirido pelo site *casamentoblindado.com.*

Dica de blindagem:

A pornografia pode arruinar o seu casamento.

93
Poupar é romântico

- ☐ Preciso praticar
- ☐ Foi bom lembrar
- ☐ Compartilhar com ________________

____

Existe uma maneira inusitada de romantismo que poucos casais conhecem. Quando um parceiro poupa o outro de um estresse desnecessário, essa atitude pode ser vista como romântica, já que demonstra força interior e consideração pelo outro. Muitas vezes achamos que o parceiro tem de aguentar tudo que vem de nós. Não medimos as palavras, nem controlamos os sentimentos — vamos derramando todo o nosso estresse e as frustrações sobre o outro. É claro que na vida a dois quase tudo é compartilhado, mas nem tudo.

Sempre que possível, um pode poupar o outro de algo que seria pesado demais naquele momento. Se um dos dois não está em boa saúde, por exemplo. Ou ainda, quando a mulher consegue resolver os assuntos das crianças sem chatear o marido, ou quando o marido poupa a esposa de más notícias sobre as quais ela não pode fazer nada a respeito. É claro que não estamos falando de guardar segredos, mas de ter consideração pela pessoa amada. Enfim, cada um deve se perguntar: "Devo estressar ou poupar meu parceiro?"

Dica de blindagem:

É romântico não sobrecarregar seu parceiro.

94
Amor não é só sentimento

☐ Preciso praticar

☐ Foi bom lembrar

☐ Compartilhar com_______________

____

A expressão "sinto muito, me desculpe" não tem qualquer valor quando alguém erra conosco de forma grave ou persistente. De que adianta saber que alguém "sente" muito, mas, mesmo assim, fez o que fez? Amor não é apenas sentimento. Amar é fazer o que é certo por quem se ama, é agir com justiça, é não ferir. É por isso que, quando o marido mente, trai ou pisa na bola de alguma forma, o "sinto muito" dele não vale nada para a esposa. O mesmo acontece em relação ao marido quando a mulher pede desculpas, mas no dia seguinte faz a mesma coisa. Em vez de pedir desculpas da boca para fora, melhor seria engolir as palavras e mudar. O reparo de um erro requer atitudes e envolve sacrifícios. Quem afirma amar precisa fazer o bem e o que é certo para o parceiro. Do contrário, não é amor.

Dica de blindagem:

Em vez de sentir muito, mude pelo menos o necessário.

95
SEM TELEPATIA

- ☐ Preciso praticar
- ☐ Foi bom lembrar
- ☐ Compartilhar com ________________

____

O seguinte pensamento é muito comum entre as mulheres casadas: "Se ele me amar mesmo, vai fazer aquilo por mim. Eu não preciso pedir. Ele sabe." Em outras palavras, a esposa espera que o marido adivinhe seus pensamentos e faça as coisas que ela deseja sem que seja preciso verbalizá-las. Acontece que, por maiores que sejam as qualidades de um homem, certamente a telepatia não estará entre elas. Os homens, na verdade, são péssimos em adivinhar pensamentos, especialmente os das mulheres. Por isso, se quiser evitar aborrecimentos desnecessários, a esposa deve dizer o que quer, e, só para garantir, deve pedir mais de uma vez.

Se com palavras a comunicação entre o casal às vezes já é mal-interpretada, imagine por pensamentos? Para o bem de vocês mesmos, assumam o compromisso de expressar o que querem e criem o hábito de pedir as coisas um ao outro com gentileza, em vez de esperar que o parceiro adivinhe tudo.

Dica de blindagem:

Transmitam ideias e desejos com palavras e não com pensamentos.

96

COMPROMISSO PARA A VIDA TODA

- ☐ Preciso praticar
- ☐ Foi bom lembrar
- ☐ Compartilhar com________________

____

Uma mulher de 48 anos, recém-divorciada, nos escreveu dizendo que tinha medo de ficar sozinha. Sua filha iria se casar em breve, e ela estava com pressa de encontrar alguém para se casar de novo. Explicamos que o medo de ficar só não é o motivo certo para se casar. Muitas pessoas se casam pelas razões erradas, e por isso a relação fracassa.

Há quem se case para sair da casa dos pais, para esquecer um amor antigo, para não ficar para titia ou titio, para ser feliz, para ter sexo, porque está apaixonado, e por muitas outras razões que, a longo prazo, não são fortes o suficiente para sustentar um casamento. Casar deve ser um ato inteligente, uma decisão pensada, fruto de um compromisso assumido para a vida toda. Quem pensa em se casar deve pensar antes de se casar. As razões de ambos os envolvidos na decisão de subir ao altar devem estar baseadas em uma certeza, um plano de vida e motivos inteligentes.

Dica de blindagem:

O casamento deve ser fruto de uma decisão inteligente.

97
Disciplina única

- ☐ Preciso praticar
- ☐ Foi bom lembrar
- ☐ Compartilhar com ____________________

____

Um bom casamento passa necessariamente pela maneira como o casal educa seus filhos e pela forma como decide discipliná-los. Quando pai e mãe não concordam sobre a disciplina dos filhos, quem mais sofre são as crianças. Ser pai ou mãe não é uma tarefa das mais simples, mas tudo tende a ficar mais fácil quando marido e mulher formam uma frente única diante dos filhos.

Os acordos entre o casal devem sempre ser estabelecidos quando as crianças não estiverem por perto. A questão não é se o jeito de disciplinar de um dos cônjuges é melhor que o do outro, mas sim o que é melhor para os filhos. Por isso, combinem as ideias e cheguem à melhor estratégia. Para aceitar a disciplina, os filhos precisam ver que os próprios pais são disciplinados e vivem em harmonia.

Dica de blindagem:

Ter um bom casamento é o melhor que vocês podem dar aos seus filhos.

98
CASADO COM UMA PEDRA

☐ Preciso praticar

☐ Foi bom lembrar

☐ Compartilhar com ________________

____

Uma esposa nos contou que, depois de mais de vinte anos de casamento, concluiu que havia se casado com uma "pedra". O marido, apesar de ter muitas qualidades, era frio, duro com as palavras e sempre a fazia se sentir diminuída. Ela não sabia o que fazer. Nós lhe explicamos que as pessoas têm coração duro por algum motivo que nem sempre está claro. Existe uma raiz por trás desse comportamento. Em geral, essas pessoas foram maltratadas pela vida, pelas más experiências que tiveram e se tornaram duras como forma de proteção. Elas acabam ferindo os outros para não serem mais feridas.

A primeira coisa a se fazer para lidar com a situação é entender que pessoas assim carregam uma dor interior que não foi necessariamente causada por quem está ao seu lado. Mostrar compreensão é o início da cura. A pior coisa que alguém pode fazer é endurecer também e dar o troco. Ao contrário, o melhor é pagar o mal com o bem. A resposta branda desvia o furor, por isso, o mais recomendável é que sejam usadas palavras doces, que expressem compreensão.

Dica de blindagem:

Seja a água mole a bater sobre essa pedra dura.

99
Ciúme e poder

☐ Preciso praticar

☐ Foi bom lembrar

☐ Compartilhar com ____________________

____

Muitos casamentos são abalados pelo ciúme fora de controle. Quando um dos cônjuges age com muito ciúme do outro, duas coisas ruins acontecem: a primeira é que o ciumento se torna uma pessoa chata; e a segunda é que, sem perceber, ele coloca todo o poder da relação nas mãos do parceiro. Quando alguém é ciumento demais passa a impressão de que o outro é tudo e que não pode viver sem ele. Com isso, quem é alvo do ciúme, além de enjoar, pode se sentir à vontade para cometer alguns deslizes, porque sabe que o ciumento sempre perdoará e fará de tudo para não perdê-lo.

Se um de vocês é excessivamente ciumento, experimente não demonstrar ciúmes, especialmente em situações em que não há razões concretas para isso. Controle as emoções. Em vez de se mostrar enciumado, demonstre segurança e autoconfiança. Essa atitude atrairá mais o parceiro, pois, em vez de ciumento e possessivo, o outro se torna uma pessoa mais agradável, confiante, e por isso mesmo, mais atraente.

Dica de blindagem:

O ciúme sob controle torna o poder na relação mais equilibrado.

100
Homem que é homem

☐ Preciso praticar

☐ Foi bom lembrar

☐ Compartilhar com ____________________

____

Recebemos, certa vez, a carta de um marido que nos escreveu agradecendo porque, graças à leitura do livro *Casamento blindado*, ele e a esposa haviam conseguido salvar o casamento. Ele contou que a indiferença e a intolerância já haviam se instalado no relacionamento, em que predominavam as discussões e o desrespeito. A esposa se esforçava, mas o orgulho dele o levava a tratar os problemas apenas de forma superficial.

Um dia ela se abriu e disse que estava sendo tentada por um rapaz no trabalho que a tratava como uma princesa, fazendo-lhe juras de amor e promessas de felicidade. Ela não queria aquilo, por isso implorou ao marido que prestasse mais atenção ao casamento. Foi aí que ele acordou. Os dois então leram o livro, e isso os ajudou na restauração daquele amor. Os homens levam a fama de não gostar de discutir a relação, e muitos pagam um alto preço por isso. Um marido jamais deve permitir que outro homem dê à sua esposa o que ela precisa dele.

Dica de blindagem:

Acorde enquanto é tempo. Homem que é homem blinda o casamento!

101
Amor e amizade

- ☐ Preciso praticar
- ☐ Foi bom lembrar
- ☐ Compartilhar com ______________________

____

Um dos motivos que levam duas pessoas a assumirem o compromisso de passar o resto da vida juntas é que uma encontrou na outra o amigo, o parceiro ideal. O homem não se casa para ter a roupa lavada e a comida feita. Se fosse apenas por isso, bastaria uma empregada. Da mesma forma, não é para sair da casa dos pais ou ter alguém que pague as contas que a mulher decide se casar. Ela provavelmente não vai morrer se não tiver um homem para sustentá-la.

Mas o que nem um nem outro podem conseguir sozinhos é a amizade e o amor. A amizade precisa de duas pessoas. E o amor exige que ambos se façam exclusivos e especiais um para o outro.

Vocês já pararam para pensar que talvez o que seu parceiro mais sente falta é da companhia e dos momentos bons que vocês costumavam ter? Lembrem-se de que foi por isso que vocês se casaram.

Dica de blindagem:

Não deixem o clima de amizade e amor morrer entre vocês.

102
Sexo e mente

- ☐ Preciso praticar
- ☐ Foi bom lembrar
- ☐ Compartilhar com ____________________

____

Estudos científicos dão conta de que a mente é responsável por mais de 90% do prazer durante o ato conjugal. Esse dado pode ser uma novidade para muitos, mas o fato é que o ato físico do sexo é a menor parte da intimidade, uma espécie de "cereja do bolo". O bolo em si consiste em fatores relacionados à mente do casal. Coisas como a amizade, as boas lembranças, as palavras trocadas entre os cônjuges, a confiança, a fidelidade, o cuidado que um parceiro demonstra pelo outro, a atenção, a consideração mesmo em coisas banais, como enxugar a louça quando ela está cansada, fazem toda a diferença.

Toda essa troca de carinho vai acumulando bons sentimentos dentro de vocês que se derramam durante o ato sexual. Por isso, erram aqueles que, para apimentar a relação, investem apenas na beleza física ou em estímulos meramente eróticos como a pornografia.

DICA DE BLINDAGEM:

Cuide do seu corpo, sim. Mas é a mente que merece mais atenção.

103
Caminhada do Amor

☐ Preciso praticar

☐ Foi bom lembrar

☐ Compartilhar com ____________________

____

Muitos casais enfrentam dificuldades no casamento porque permitem que a rotina, a correria do dia a dia e o medo de uma conversa acabar mal lhes roubem a chance de resolver muitos problemas e de enriquecer o relacionamento. O que falta muitas vezes é a simples oportunidade de abrir o coração um com o outro, sem medo de desentendimentos ou incompreensões.

É por isso que, no programa *The Love School*, promovemos a Caminhada do Amor — um lugar e uma hora marcados para que vocês coloquem a conversa em dia e, claro, com um tom agradável! Acessem o site *caminhadadoamor.com* e saibam como adquirir o kit oficial da Caminhada, no qual vocês encontrarão um CD com dicas preciosas para dialogar com eficácia, além de duas camisetas e o *Guia de perguntas*, com questões que não podem deixar de ser feitas por quem deseja de fato blindar o casamento. Agendem a melhor data e façam a Caminhada do Amor em um parque ou outro local de sua escolha. Cristiane e eu fazemos essa Caminhada pelo menos uma vez por ano para termos essa conversa mais profunda e nos certificarmos de que o trem está nos trilhos!

Dica de blindagem:

Participem da caminhada rumo ao bom entendimento!

104 Dois mandamentos

- ☐ Preciso praticar
- ☐ Foi bom lembrar
- ☐ Compartilhar com ________________
____

Uma vez perguntaram ao Mestre qual era o grande mandamento na Lei de Deus. Jesus respondeu: "O primeiro é: Ame a Deus com todo o seu coração, alma e mente. O segundo é parecido: Ame o seu próximo como a si mesmo." Como podemos observar, os dois maiores mandamentos do mundo incluem o AMOR. No entanto, muitas pessoas não conseguem cumprir o segundo mandamento, e isso acontece por um motivo muito simples: elas não praticam o primeiro.

Como qum cônjuge pode amar o outro, que é imperfeito, se não tem um relacionamento com o próprio Deus, que é perfeito? Como quem não ama o Perfeito vai amar o imperfeito? Sem um contato com o Autor do amor, as pessoas vão tentando manter o casamento com suas próprias forças. E muitas fracassam porque não conseguem fazer na prática o que sabem na teoria.

Dica de blindagem:

Sigam o primeiro mandamento e conseguirão seguir o segundo.

105
Amargura leva à morte

- ☐ Preciso praticar
- ☐ Foi bom lembrar
- ☐ Compartilhar com ______________________

____

Uma maneira certeira de matar o amor aos poucos, e, de certa forma, também morrer junto com ele, é guardar amargura no coração. Não importa a causa da amargura. O que deve preocupar são os efeitos dela sobre o relacionamento conjugal. Pessoas amargas vivem despejando reclamações, desenterrando o passado, acusando e culpando os outros por suas misérias.

O fim de pessoas amargas é a solidão ou mesmo a morte prematura. Felizmente, ninguém precisa acabar assim. O que separa a pessoa dominada pela amargura de um novo começo é apenas uma decisão: perdoar e entender que todo mundo erra, inclusive ela própria. O importante na vida é aprender as lições e olhar para a frente. Paulo, o apóstolo, disse: "Maridos, amem suas esposas e não as tratem com amargura" (Cl 3:19). Obviamente, o mesmo se aplica às mulheres.

Dica de blindagem:

Amar ou amargar, a escolha é sua. Ser feliz é a melhor escolha.

106
UM AMOR QUE PENSA

☐ Preciso praticar

☐ Foi bom lembrar

☐ Compartilhar com ____________________

____

Em nosso trabalho nós cunhamos a expressão "amor inteligente", mas nem todo mundo sabe o que isso quer dizer de fato. Amar inteligentemente significa colocar a cabeça acima do coração, nunca o contrário. É usar a inteligência no relacionamento, desde a escolha do parceiro até as mínimas decisões e atitudes que contribuem para a felicidade do casal.

Podemos definir "inteligência" como a habilidade de entender e resolver problemas, a capacidade de tirar o que é útil de uma informação e usá-la de forma proveitosa. O amor inteligente sabe que a vida a dois exige soluções para que o convívio seja agradável e duradouro. É um tipo de amor que entende que não se pode *sentir* uma solução, mas somente *pensar* para encontrar uma. O amor inteligente impede um cônjuge de fazer burrices no amor, de ferir o seu parceiro ou a si mesmo, e, por isso, é a maneira mais certa de amar.

DICA DE BLINDAGEM:

Não sejam reféns do coração. Pratiquem o amor inteligente.

107
Criem e usem ferramentas

- ☐ Preciso praticar
- ☐ Foi bom lembrar
- ☐ Compartilhar com ____________

____

Uma das características da humanidade é a capacidade de criação. Ao longo das eras, o ser humano tem usado sua inteligência para criar ferramentas que o ajudem a resolver problemas e a facilitar seu trabalho. Seria possível listar milhões e milhões delas, desde a escova de dentes até o computador e a internet. Não há ninguém que não utilize várias ferramentas no seu dia a dia. Mas, quando o assunto é relacionamento, parece que muitos casais vivem na Idade da Pedra ou, no mínimo, pararam no tempo.

Há problemas no casamento que são recorrentes, isto é, vão e vêm com muita frequência, e também precisamos de ferramentas para lidar com eles. São estratégias que podem ser usadas sempre que aquele problema antigo aparecer. Não ir dormir chateado um com o outro, por exemplo, é uma ferramenta muito útil. Mas cada casal pode e deve desenvolver as suas, segundo a necessidade do seu casamento.

Dica de blindagem:

Desenvolvam ferramentas para lidar com os problemas do dia a dia.

108
Desejo não é essencial

☐ Preciso praticar

☐ Foi bom lembrar

☐ Compartilhar com____________________

____

Uma das maiores reclamações de muitos casais hoje é a falta de sexo no casamento. É comum marido e mulher viverem sob o mesmo teto, dividirem as contas, mas não a cama. É possível contar nos dedos as vezes que têm relações sexuais durante o ano. Pode haver muitas razões para isso, mas uma das mais citadas é a "falta de desejo". "Eu não sinto vontade", dizem muitas esposas e mesmo maridos. Essas pessoas acreditaram na mentira de que "sentir desejo" é essencial para ter sexo.

A verdade é que às vezes, sim, é o desejo que leva à busca pelo sexo. Mas, com frequência, o que acontece com milhões de casais é que o desejo não aparece até que comecem a fazer amor — e depois ficam felizes por terem feito! A ideia passada pelos filmes e novelas de que todo ato sexual do casal é precedido de uma explosão de desejo é um mito. Não esperem isso de si mesmos nem do seu parceiro. Como diz o ditado: "Comer e coçar, é só começar." Com o sexo não é diferente.

DICA DE BLINDAGEM:

Não esperem o desejo aparecer.

109 Dica para atrair o outro

- ☐ Preciso praticar
- ☐ Foi bom lembrar
- ☐ Compartilhar com ____________________

____

Temos uma dica importante para quem quer atrair a atenção do parceiro: não há nada mais triste do que uma mulher ou um homem implorando por uma migalha de amor e de atenção da pessoa amada. A palavra "atrair" significa "chamar para si, conquistar a admiração". Não é correr atrás, implorar e até brigar pela atenção de alguém. A pessoa atraente chama a atenção dos outros porque tem algo que é de fato interessante.

Da mesma maneira que vamos atrás de um bom produto, enfrentamos fila e pagamos o preço que for, quando uma pessoa é desejável, nós é que a procuramos. Ela não precisa mendigar nossa atenção. Quem implora por atenção não conhece o próprio valor. Se alguém deseja atrair o parceiro deve parar de persegui-lo e aumentar seu próprio valor, tornando-se uma pessoa desejável, amando-se primeiro. Uma pessoa não pode condicionar sua felicidade à atenção de outra — é preciso que seja feliz sem ela, para ser feliz com ela. Sem dúvida, essa é a melhor estratégia para atrair a pessoa amada.

Dica de blindagem:

Nunca mendiguem atenção.

110
Insegurança masculina

☐ Preciso praticar

☐ Foi bom lembrar

☐ Compartilhar com ________________

____

A insegurança masculina pode ser muito pior que a feminina quando o assunto é vida conjugal. Isso acontece porque uma das coisas que a mulher mais busca no homem é justamente a segurança. Quando o marido é inseguro o risco de surgirem problemas sérios no relacionamento é muito alto. A insegurança masculina se manifesta de muitas maneiras, como por exemplo: ciúme excessivo, desejo de controlar, possessividade, indecisão, temperamento imprevisível, podendo se tornar agressivo ou sufocante, entre outras.

Os fortes reconhecem suas fraquezas. Toda insegurança tem uma raiz, e é necessário encontrá-la. Portanto, marido, descubra o motivo por trás do comportamento inseguro e entenda que provavelmente a razão é um medo infundado. A melhor maneira de vencer um medo é enfrentá-lo. A ajuda da esposa também é bem-vinda. Palavras que levantam a autoestima do marido e o foco nas qualidades dele podem ser muito úteis.

Dica de blindagem:

Um homem seguro sabe que às vezes precisa de ajuda.

111
A MARATONA DO CASAMENTO

☐ Preciso praticar

☐ Foi bom lembrar

☐ Compartilhar com ____________________

____

Maratona e corrida de velocidade são dois tipos diferentes de corrida. Na corrida de velocidade, o início é fundamental. Uma fração de segundo pode fazer o corredor ganhar ou perder. Já na maratona, o início não é tão importante, mas sim a resistência. Casamento é uma maratona, mas muitos casais pensam que é uma corrida de velocidade. Acham que já devem desistir se no começo as coisas não vão bem ou demoram um pouco para se acertarem.

A maioria dos casais bem-sucedidos teve problemas nos primeiros anos da vida conjugal. Portanto, não é o início do casamento que dita o fracasso, mas sim a falta de determinação de continuar. Na verdade, seu casamento pode até ter tido um começo difícil, mas, se vocês tiverem resistência, ele pode se tornar uma grande história de sucesso. Os maus momentos passam. As crises, na verdade, podem até ajudar a fortalecer o relacionamento. Mas o sentimento de fracasso, de saber que poderia ter tentado mais um pouco, fica para sempre.

Dica de blindagem:

Continuem correndo!

112
Como lidar com o parceiro que mente

- ☐ Preciso praticar
- ☐ Foi bom lembrar
- ☐ Compartilhar com________________

____

Se um relacionamento depende da confiança, logo, a mentira é inimiga do amor. Mas como lidar com um parceiro que mente? Primeiro, entenda que o mentiroso normalmente quer:

- Fugir da verdade.
- Encobrir seu erro.
- Deixar de enfrentar as consequências de suas mentiras.
- Desviar o foco da mentira para a má reação do outro.

Sabendo disso, dê ao mentiroso o que ele NÃO quer:

- Ser confrontado com a verdade.
- Ter seu erro exposto.
- Sofrer as consequências de suas mentiras.
- Que o outro reaja sem perder a cabeça nem a compostura.

O melhor que pode acontecer ao mentiroso é enfrentar a verdade e as consequências de suas mentiras. Se o outro apenas perdoar, ele provavelmente cometerá o mesmo erro de novo. Um relacionamento verdadeiro, baseado na confiança, apresenta tolerância zero com a mentira.

Dica de blindagem:

Use a verdade e deixe que o mentiroso sofra as consequências.

113
Uma palavra que melhora seu casamento

☐ Preciso praticar

☐ Foi bom lembrar

☐ Compartilhar com ____________________

____

É possível melhorar o casamento com uma só palavra. Quando foi a última vez que vocês disseram "obrigado" um ao outro? Quantas vezes vocês demonstram apreciação um pelo outro? Quando estamos ocupados ou estressados, nos esquecemos de agradecer à pessoa que decidiu viver toda a sua vida conosco. Dizemos "obrigado" para estranhos e amigos o dia todo, até por pequenas coisas, mas talvez estejamos sendo ingratos pelos grandes sacrifícios de nosso cônjuge por nós.

A gratidão sincera no relacionamento pode fazer o cônjuge se sentir valorizado, especial e importante. E isso sem dúvida melhorará o seu relacionamento. Comecem hoje mesmo. Pensem em cinco coisas que seu parceiro faz pelas quais vocês são gratos. Expressem isso com sinceridade, com palavras ou mesmo por escrito. Façam isso intencionalmente mais vezes, agradecendo pelas pequenas e pelas grandes coisas.

Dica de blindagem:

"Obrigado" é só uma palavra, mas os resultados são incalculáveis.

114
A OPORTUNIDADE QUE NASCE DO PROBLEMA

☐ Preciso praticar

☐ Foi bom lembrar

☐ Compartilhar com ____________________

____

Pode parecer estranho, mas todo problema de relacionamento traz consigo uma oportunidade de melhorar. Foi assim conosco. Nós aproveitamos nossos problemas para tornar a nossa relação mais forte do que nunca. É como o veneno da cobra, que é também o próprio antídoto. Tudo de que o casal precisa é saber extrair a oportunidade do problema.

Por exemplo: uma traição pode apontar sérias falhas individuais e na relação que culminaram no erro; o ciúme pode ser sinal de que é preciso desenvolver a autoconfiança. As brigas, na verdade, ajudam a conhecer melhor os princípios e valores que guiam cada um dos cônjuges. Uma vez que vocês identificam o que está por trás daquele problema, devem se perguntar: "Onde está a oportunidade aqui?" E aí, juntos, vocês podem desenvolver estratégias para tirar proveito daquilo.

Dica de blindagem:

Um bom problema conjugal é sempre uma boa oportunidade.

115
Os perigos do vácuo

☐ Preciso praticar

☐ Foi bom lembrar

☐ Compartilhar com ______________

____

Quem utiliza um aspirador a vácuo para limpar o carpete de casa está se beneficiando de uma lei da física: o vazio criado pelo vácuo atrai qualquer coisa que venha a preenchê-lo. O mesmo fenômeno acontece dentro do relacionamento. Quando existe um vácuo na relação, outras coisas, que nem sempre são boas, podem ocupar aquele espaço. Se o marido deixa um vácuo entre ele e a esposa, por exemplo, pela frieza ou falta de atenção, ela pode se sentir tentada a preencher aquele vazio com a atenção e o carinho de outro homem. O mesmo pode acontecer com o marido, se a esposa relaxar.

Por isso, muitas vezes um vício, um esfriamento, amizades e outras coisas que distanciam um do outro podem ser apenas sintomas do vazio. Se alguma coisa está sugando o amor e a paixão para longe do seu casamento, provavelmente isso é resultado de um vácuo que vocês mesmos criaram.

Dica de blindagem:

Preencham os vazios antes que seja tarde demais.

116
Seu casamento não é uma novela

- ☐ Preciso praticar
- ☐ Foi bom lembrar
- ☐ Compartilhar com ____________________

____

Muitos casais cometem o erro de discutir em público, permitindo que quem está perto acompanhe o drama como se assistisse a uma novela. É comum vermos o marido criticar a esposa ou mesmo fazer piadas de mau gosto com algum defeito dela na frente de amigos e parentes. Muitas mulheres agem da mesma maneira em relação ao cônjuge. O pior é que nenhum dos dois parece perceber quanto essa atitude humilha o parceiro.

Outro problema gerado por esse tipo de comportamento é que quem assiste pode ser tentado a dar palpites ou mesmo a tomar partido em uma situação que só diz respeito ao casal. As brigas e discussões entre vocês podem ser úteis para o relacionamento, mas nunca devem acontecer na frente de terceiros. Além de ser constrangedor para quem assiste, esse hábito pode trazer efeitos devastadores para a relação e tornar-se uma porta aberta para o desrespeito em outros aspectos do convívio a dois.

Dica de blindagem:

Seus problemas conjugais devem ser resolvidos sem audiência.

117
Mais forte que um "eu te amo"

- ☐ Preciso praticar
- ☐ Foi bom lembrar
- ☐ Compartilhar com ______________

____

Às vezes um parceiro não quer ouvir "eu te amo", quando o necessário é um "me perdoa". Quando um dos cônjuges erra, mas não reconhece, não pede perdão, o erro permanece ferindo o outro. É como se quem errou se achasse no direito de machucar a outra pessoa. Parte de consertar um erro e mudar é pedir perdão ao parceiro com sinceridade, e obviamente não voltar a cometer o erro.

Quanto mais difícil é para um parceiro pedir perdão, mais o outro precisa ouvi-lo. Portanto, é preciso vencer o orgulho e fazê-lo de uma vez. Quem errou deve olhar nos olhos do cônjuge, dizer em que estava errado e pedir perdão. Vocês se surpreenderão com os resultados.

DICA DE BLINDAGEM:

Um "me perdoa" pode ser mais forte que um "eu te amo".

118
Palavras que ferem

- ☐ Preciso praticar
- ☐ Foi bom lembrar
- ☐ Compartilhar com ______________

Quando alguém é ferido fisicamente, pode levar dias, semanas ou até meses para se recuperar. Mas, quando alguém é ferido verbalmente, as feridas podem durar para sempre. Um casal deve ter muito cuidado com o que diz para o parceiro. Às vezes, para tirar uma satisfação ou para expressar sua raiva, um dos cônjuges acaba falando palavras muito duras, capazes de causar feridas profundas na outra pessoa. Isso, além de não resolver o problema, acaba criando mais um: a mágoa.

No momento da raiva, em que os ânimos estão exaltados, o melhor que um casal pode fazer é dar uma pausa na conversa, deixar aquele sentimento negativo passar e depois retomar o assunto com mais calma. Essa é a atitude mais sensata para quem quer colocar um ponto final em um problema, e não causar mais um.

Dica de blindagem:

Muito cuidado com as palavras duras. Elas podem causar feridas graves.

119
Expectativas diferentes

☐ Preciso praticar

☐ Foi bom lembrar

☐ Compartilhar com ____________________

____

Após um dia cansativo de trabalho, é normal chegarmos em casa desejando apenas descansar. Porém, sempre há tantos afazeres domésticos que nem sempre isso é possível. Essa é uma situação corriqueira, mas que leva muitos casais a entrarem em pé de guerra. Um quer relaxar primeiro para depois pensar nas tarefas de casa. O outro acha melhor fazer tudo logo para poder repousar no fim da noite. Nenhum dos dois está errado, pois cada um tem seu jeito de encarar as responsabilidades com a casa.

As diferentes expectativas que um tem do outro, entretanto, podem gerar ressentimentos. O marido fica aborrecido porque quer que a esposa relaxe com ele; ela fica chateada porque sente que o marido não a ajuda em nada. Para evitar frustrações desnecessárias, o casal deve ajustar as expectativas. Respeitem a maneira de ser um do outro. Vocês não são iguais, e isso não precisa mudar. E, de vez em quando, é recomendável que um surpreenda o outro fazendo algo que agrade o cônjuge.

Dica de blindagem:

Vocês não são iguais, e isso não precisa mudar!

120
Triângulo amoroso

☐ Preciso praticar

☐ Foi bom lembrar

☐ Compartilhar com ____________________

____

O casamento blindado é um triângulo amoroso. Imagine um triângulo no qual o marido está em uma ponta da base e a esposa na outra ponta. No topo do triângulo está o próprio Deus. Com Deus estão todos os atributos de um verdadeiro amor: respeito, amizade, carinho, justiça, fidelidade, perdão... Quando os dois parceiros se aproximam da ponta superior do triângulo (Deus), eles não apenas se aproximam um do outro, como também alcançam o verdadeiro amor. Quanto mais longe de Deus, mais longe do verdadeiro amor.

É mais fácil amar o cônjuge, apesar dos defeitos, quando estamos mais perto de Deus. Com Ele, aprendemos a querer e tratar bem a outra pessoa. É como se aproximar de um braseiro. Vocês logo vão se aquecer. Se vocês têm tentado reacender a chama do relacionamento sem obter progresso, provavelmente estão longe do verdadeiro amor. O melhor a fazer é dirigir-se para a ponta de cima do triângulo.

Dica de blindagem:

Um homem, uma mulher e Deus: o triângulo amoroso que blinda o casamento.

Tem mais um minuto?

Nós colocamos o 121º Minuto on-line para você — algo extra que não entrou neste livro, mas lhe será de grande valia. Acesse-o agora pelo endereço *casamentoblindado.com/121*.

Mantenha contato conosco para continuar investindo no Amor Inteligente™:

Curta nossas páginas no Facebook:
facebook.com/CasamentoBlindado
facebook.com/bprenatocardoso
facebook.com/cbcardoso

Siga-nos no Twitter:
@CasamentoBlind
@bprenato
@criscardoso

Adicione seu e-mail em nossa lista para ficar informado de nossos eventos e palestras:
casamentoblindado.com

Leia nossos blogs:
renatocardoso.com
cristianecardoso.com

Obrigado por compartilhar o nosso trabalho. Juntos, estamos fazendo a diferença nas famílias!

Renato e Cristiane Cardoso

LEIA TAMBÉM

RENATO & CRISTIANE CARDOSO
Apresentadores do programa The Love School – A Escola do Amor
CASAMENTO BLINDADO
O SEU CASAMENTO À PROVA DE DIVÓRCIO
MAIS DE 1 MILHÃO DE EXEMPLARES
MAIS DE 1 MILHÃO DE EXEMPLARES VENDIDOS
A MULHER V
EDIÇÃO ESPECIAL COM MENSAGEM INÉDITA DA AUTORA
Mais de 1 milhão de exemplares vendidos
Moderna, à moda antiga
CRISTIANE CARDOSO
MAIS de UM MILHÃO de EXEMPLARES VENDIDOS
MELHOR QUE COMPRAR SAPATOS
CRISTIANE CARDOSO

Este livro foi impresso no Rio de Janeiro, em 2013,
pela editora Thomas Nelson Brasil. O papel do miolo é
avena 70g/m², e o da capa é cartão 250g/m².